Zénith
Méthode de français

A2

FABRICE BARTHÉLÉMY - SANDRINE CHEIN - ALICE ETIENBLED
REINE MIMRAN - SYLVIE POISSON-QUINTON

2

CLE
INTERNATIONAL

Crédits photographiques

Directrice éditoriale : Béatrice Rego
Responsable marketing : Thierry Lucas
Éditrice : Anne France Poissonnier
Couverture : Miz'enpage/Lucía Jaime
Conception maquette : Miz'enpage
Mise en pages : Isabelle Vacher

Recherche iconographique : Clémence Zagorski
Illustrations : Oscar Fernisa Fernandez, Esteban Ratti
Cartographie : Fernando San Martin (cartes de France physique et Francophonie) ; Oscar Fernandez (carte touristique)
Enregistrements : K@Production

Bonjour à tous,

Êtes-vous prêts pour de nouvelles découvertes avec **Zénith 2** ? Le niveau A2 de **Zénith**, tout comme le niveau A1, s'adresse à des adultes ou grands adolescents.

Ce deuxième volume est prévu pour 120 heures d'enseignement. Chacune des 24 leçons de **Zénith 2** se structure autour de deux doubles pages :
- la partie « **Je comprends et je communique** » : des documents déclencheurs (par exemple : un dialogue, une photo, une brochure, un sondage). En accompagnement à ces documents sont aussi proposés des activités d'écoute, de compréhension orale et écrite, ainsi que des jeux de communication pour réinvestir les acquis. Tout le vocabulaire nouveau est présenté dans un encadré. Des exercices de phonétique ("Je prononce"), enregistrés, complètent l'ensemble.

- la partie "**J'apprends et je m'entraîne**" récapitule plusieurs points de grammaire et offre une série d'exercices variés (écoute, vocabulaire, grammaire, production d'écrits), et des jeux de rôle inscrits dans un contexte contemporain.

Chaque unité se clôt sur deux pages de **civilisation**, des **exercices d'entraînement au DELF A2**, ainsi qu'un **bilan actionnel**. Celui-ci reprend les acquis des quatre leçons de l'unité, mais son objectif est surtout de placer l'élève dans une situation pratique réelle.

Un **précis grammatical** et des tableaux de conjugaison se trouvent en fin d'ouvrage.

Un livret de corrigés et des transcriptions des dialogues et des exercices oraux est joint au livre de l'élève.

Le **DVD-ROM** contient tous les enregistrements des documents audio ainsi que des vidéos complémentaires.

Un **cahier d'activités Zénith** avec son livret de corrigés offre aux élèves la possibilité d'un travail en autonomie.

Il ne nous reste plus qu'à vous souhaiter de passer de bons moments avec **Zénith 2**.

Au plaisir de vous revoir prochainement dans **Zénith 3** !!

Les auteurs

STRUCTURE DU LIVRE DE L'ÉLÈVE

- 6 unités comprenant chacune :
  - 4 leçons de 4 pages chacune,
  - 1 double page Civilisation,
  - 1 entraînement au DELF,
  - 1 bilan actionnel
- Des annexes :
  - un précis grammatical, avec des tableaux de conjugaison
  - trois cartes de la France touristique, physique et administrative
  - une carte de la francophonie
- Un DVD-ROM audio et vidéo
- Un livret de transcriptions et de corrigés

■ La page d'ouverture

1 vidéo par unité

Objectifs de communication

■ Le déroulement d'une unité

• 4 leçons

• 1 double page Civilisation

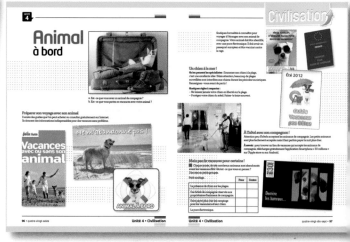

• 1 double page d'entraînement au DELF

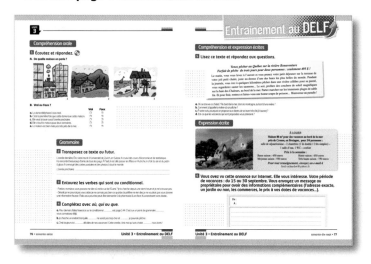

• 1 page Bilan actionnel

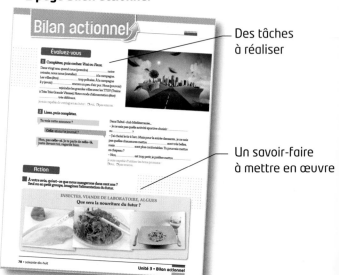

Des tâches à réaliser

Un savoir-faire à mettre en œuvre

■ Chaque leçon comprend :

Le vocabulaire

• **1 double page « Je comprends et je communique »**

Un dialogue ou un document déclencheur

Un support visuel

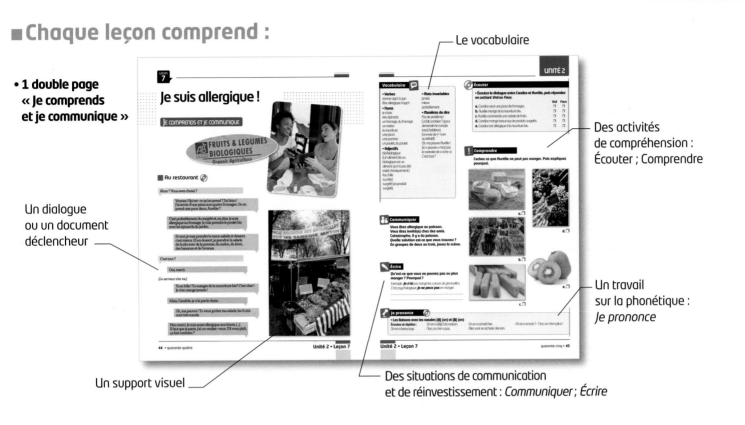

Des activités de compréhension : Écouter ; Comprendre

Un travail sur la phonétique : *Je prononce*

Des situations de communication et de réinvestissement : *Communiquer* ; *Écrire*

• **1 double page « J'apprends et je m'entraîne »**

Un encadré de grammaire

Avec le support audio

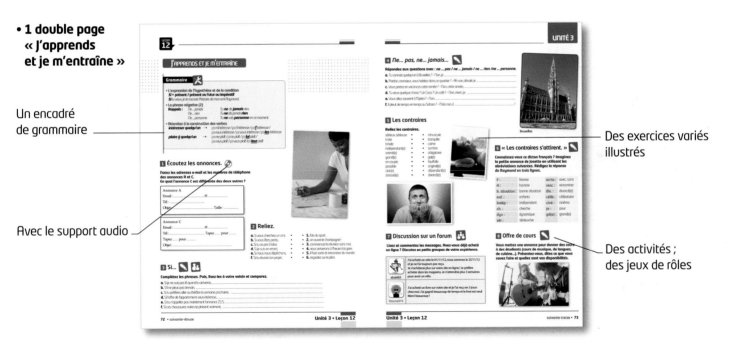

Des exercices variés illustrés

Des activités ; des jeux de rôles

■ Les symboles

Séquence vidéo

Piste audio

Comprendre

Écrire

Phonétique

Vocabulaire

Grammaire

Interaction à deux

Interaction en groupe

■ Des outils d'évaluation

• À la fin de chaque unité, une double page d'entraînement au DELF

Travail des 4 compétences

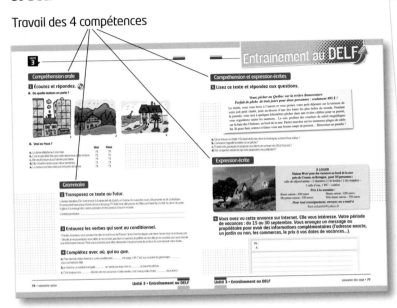

• Et aussi des fiches d'évaluation dans le guide pédagogique...

■ Des outils linguistiques nombreux

• Un aide-mémoire grammatical à la fin de l'ouvrage

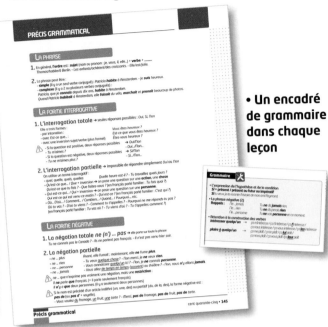

• Un encadré de grammaire dans chaque leçon

■ Un cahier d'activités très complet qui encourage à travailler en autonomie

Les objectifs

Le vocabulaire de l'unité, enregistré

Des fiches d'exploitation de la vidéo

Des activités autour de la civilisation française

Un lexique multilingue

■ Le DVD-ROM
(inclus dans le livre de l'élève)

→ Mode d'emploi du DVD-ROM page 160

• L'audio

- Tout l'audio du livre de l'élève et du cahier d'activités au format mp3
- Plus de 160 pistes pour 130 minutes d'enregistrement

• La vidéo

Séquence 1 : France, Belgique, Suisse

Séquence 2 : Autolib'

Séquence 3 : Colocation.fr

Séquence 4 : Les NAC - nouveaux animaux de compagnie

Séquence 5 : La fête des voisins

Séquence 6 : Croyances et superstition

- 1 séquence par unité
- Mini-fiction ou reportage en lien avec les contenus de l'unité
- Des fiches d'exploitation dans le cahier d'activités

Mode d'emploi

■ Les versions numériques : du tableau à la tablette

• **Une version numérique collective pour TBI ou vidéoprojection**
• Compatible avec tous les TBI
• Utilisable en vidéoprojection
• Avec tous les composants de la méthode
• Accès direct aux ressources et médias
• Navigation linéaire ou personnalisée
• Possibilité d'ajouter ses propres ressources
• De nombreux outils et fonctionnalités

Votre clé USB pour plus de liberté et de praticité
• Avec cette clé, vous pouvez accéder immédiatement à votre manuel sur tout ordinateur, à votre domicile ou au sein de votre établissement.
• Tous vos travaux effectués sur le manuel (diaporama, cours, import de documents personnels) sont sauvegardés automatiquement sur la clé et disponibles à tout moment.
• Une aide à la prise en main et un mode d'emploi détaillé sont inclus dans votre manuel numérique.

• Insertion par l'enseignant de ses propres documents (texte, image, audio, vidéo, présentation...)
• Création, organisation, sauvegarde et partage de ses séquences contenant pages, ressources Zénith et personnelles
• 24 activités interactives, corrigés
• Dialogues en «karaoké» permettant l'attribution de rôles à un ou plusieurs étudiants
• Enregistrement production orale
• Export pdf page à page
• Mise à jour gratuite en cas de nouvelle version
• Guide d'utilisation vidéo (en ligne)
• Disponible sur clé USB avec 2Go d'espace personnel (ou plus selon niveau)

• **Une version numérique individuelle**
• Le livre de l'élève avec la vidéo, des tests et un bilan actionnel interactifs et tout l'audio
• Le cahier d'activités avec tous les exercices interactifs et l'audio

Pour toutes les plateformes :
• Tablettes
• PC/Mac offline ou online
• Plateformes e-learning (packs SCORM)

Tout papier, tout numérique ou bi-média, Zénith donne le choix à ses étudiants !

L'application peut remplacer les livres ou les compléter pour ceux qui souhaitent disposer d'un ouvrage papier et d'une version numérique selon le contexte d'utilisation. On peut aussi préférer un livre élève papier pour la classe et un cahier d'exercices numérique pour une utilisation autonome fixe ou nomade . D'autres seront plus à l'aise avec un cahier d'exercices classique mais apprécieront le confort et les fonctions des tablettes pour la lecture et l'utilisation du manuel.

Selon le type d'exercice, autocorrection, score et corrigés sont directement accessibles.
Simple d'utilisation, l'application permet une navigation par page ou un enchaînement direct des exercices. Toutes les réponses aux exercices, les scores, les annotations sont enregistrés.

TABLEAUX DES CONTENUS

UNITÉ 1 : PARLEZ-MOI DE VOUS

Leçon	Savoir-faire	Grammaire	Vocabulaire	Phonétique
LEÇON 1 Voyage, voyage	• expliquer qui on est, ce qu'on fait, où on va	• les prépositions : *de, en, chez, près de* • les verbes pronominaux au présent et au passé composé • les adjectifs possessifs : *mon, ton, son* • l'emploi du *oui/si*	• les voyages • les horaires	• la suppression du « e » (1)
LEÇON 2 Mais pas ci, mais pas ça	• décrire une expérience • donner son opinion • faire part de ses projets	• l'interrogation avec *n'est ce pas* • le futur proche • le passé immédiat • les verbes pronominaux	• le théâtre, le cinéma • les acteurs	• opposition [d]/[t] • les enchaînements
LEÇON 3 Un succès international	• présenter quelqu'un • décrire ses goûts et ses habitudes	• usage du passé composé/ imparfait (révision) • *depuis/il y a* • les pronoms compléments COD et COI : *je l'ai acheté, je lui ai parlé*	• les étudiants étrangers • les relations entre les jeunes	• opposition [b]/[p] • les liaisons obligatoires
LEÇON 4 Cherche correspondant	• écrire une lettre pour se présenter • expliquer où on vit, ce qu'on fait...	• le pronom complément COI • l'usage du passé composé/ imparfait (révision) • *J'espère que...*	• les pays francophones • la localisation	• la suppression du « e » (2)

Civilisation : Fêtes et festivals dans les pays francophones
Entraînement au DELF
Bilan actionnel

UNITÉ 2 : QU'EST-CE QU'ON PEUT FAIRE ?

Leçon	Savoir-faire	Grammaire	Vocabulaire	Phonétique
LEÇON 5 Une visite au musée Rodin	• proposer une sortie • décrire un lieu	• le superlatif : *le plus..., le moins....* • le *y* de lieu • *Je pense que... / je trouve que... / tu es sûr que...*	• les musées • l'art • les horaires	• l'intonation expressive • rythme : les phrases en expansion
LEÇON 6 Encore un régime !	• prendre une décision • faire un projet lié à la vie quotidienne	• l'expression de l'obligation • l'expression du but • *ne... plus*	• l'alimentation (1) • les régimes alimentaires	• prononciation de *six* et de *dix* • intonation expressive : s'opposer
LEÇON 7 Je suis allergique.	• faire des achats • conseiller, déconseiller, interdire (1)	• le COD *en* • *ne... jamais,* • le comparatif *mieux*	• l'alimentation (2)	• l'opposition [õ]/[ã]
LEÇON 8 Prudence sur les routes !	• conseiller, déconseiller, interdire (2)	• l'expression de la demande, de l'ordre, de l'obligation • l'expression de l'interdiction • les phrases hypothétiques avec *si*	• les règles de la conduite • le code de la route	• le rythme binaire

Civilisation : Les transports en commun
Entraînement au DELF
Bilan actionnel

UNITÉ 3 : JE CHERCHE, JE TROUVE

Leçon	Savoir-faire	Grammaire	Vocabulaire	Phonétique
LEÇON 9 **Appartement** **à louer**	• décrire un appartement (l'emplacement, les pièces, le prix...)	• le futur proche/ le futur simple • les pronoms démonstratifs *celui-là, celle-là, ceux-là, celles-là*	• les pièces de l'appartement	• les sons [s]/[ʃ]/[ʒ]
LEÇON 10 **Vive les** **soldes !**	• décrire et comparer • discuter d'un achat • commenter	• les pronoms possessifs • les pronoms relatifs *qui* et *que*	• les vêtements • les tailles et les pointures	• les sons [ɔ]/[o]/[u]
LEÇON 11 **Pendant** **les vacances,** **on bouge !**	• discuter des projets de vacances • comparer • exprimer son désaccord	• le conditionnel *parce que / puisque*	• les destinations de voyage	• la suppression du « e » (3) • l'intonation de la colère (1)
LEÇON 12 **Qu'est-ce que** **tu cherches ?**	• comprendre les petites annonces, y répondre	• l'expression de l'hypothèse et de la condition *ne... personne*	• acheter, vendre • les petites annonces	• le rythme du français parlé : les phrases en suspens

- **Civilisation : Des vacances originales**
- **Entraînement au DELF**
- **Bilan actionnel**

UNITÉ 4 : QU'EN PENSEZ-VOUS ?

Leçon	Savoir-faire	Grammaire	Vocabulaire	Phonétique
LEÇON 13 **J'ai trouvé** **la femme** **de ma vie.**	• décrire quelqu'un • exprimer ses sentiments	• *C'est moi qui... / C'est toi qui...* • la comparaison avec *comme*	• adjectifs pour décrire une personne (1) • la rencontre (1)	• révision du son [ʀ] (1)
LEÇON 14 **Enfin** **le week-end !**	• expliquer un itinéraire • décrire un lieu	• les verbes pronominaux et le futur proche *avoir peur de + nom/infinitif*	• révision des nombres • itinéraires, trajets, distances	• révision du son [ʀ] (2)
LEÇON 15 **Ils ne sont pas** **tous comme ça !**	• raconter un événement • décrire et commenter une attitude	• le discours indirect et la concordance des temps • le gérondif • les doubles négations *plus rien, plus personne*	• adjectifs pour décrire une personne (2) • la rencontre (2)	• révision du son [ã] • les suites de voyelles
LEÇON 16 **On a voulu** **le kidnapper.**	• expliquer son propre comportement • se justifier	• le discours indirect et la concordance des temps • le gérondif *être en train de*	• les animaux de compagnie • la SPA	• les suites de consonnes • l'intonation de la colère (2)

- **Civilisation : Animal à bord**
- **Entraînement au DELF**
- **Bilan actionnel**

Unité 5 : Apprendre à partager

Leçon	Savoir-faire	Grammaire	Vocabulaire	Phonétique
LEÇON 17 **Cherche coloc'** **désespérément**	• exposer des difficultés • se plaindre	• *en/y* • l'interrogation directe • le verbe *devoir* • la construction des verbes	• les relations de voisinage	• les sons [ø] et [y] • les voyelles nasales
LEÇON 18 **À deux** **c'est mieux !**	• exprimer son opinion • argumenter	• l'interrogation (inversion sujet/ verbe) • *ne... ni* • *de plus en plus, de moins* *en moins*	• le mariage • le foyer	• le [e] muet
LEÇON 19 **C'est la crise !**	• critiquer • comparer	• l'expression de la restriction • *tout* (pronom) et *tout* (adjectif) • *ça*	• l'adolescence • les conflits	• les consonnes [l] et [ʀ] • les voyelles nasales
LEÇON 20 **Mixité,** **une aventure** **au quotidien**	• faire des hypothèses • décrire son environnement	• l'irréel du présent • le pronom *on*	• l'habitat • la mixité	• les sons [u] et [us] • le rythme

• **Civilisation : La colocation intergénération**
• **Entraînement au DELF**
• **Bilan actionnel**

Unité 6 : Ça ira mieux demain

Leçon	Savoir-faire	Grammaire	Vocabulaire	Phonétique
LEÇON 21 **Je voudrais** **qu'il soit...**	• exprimer un souhait • exprimer un désir	• exprimer le souhait avec le subjonctif	• les envies • les rêves	• les sons [e] et [ɛ] • la consonne [ʀ]
LEÇON 22 **Demain, j'arrête !**	• exprimer une résolution • se projeter dans l'avenir	• le subjonctif de verbes irréguliers • exprimer la volonté, le désir avec le subjonctif	• les relations familiales	• les sons [f] et [v]
LEÇON 23 **Peur ? Moi, jamais !**	• exprimer ses craintes • proposer	• le subjonctif (*pouvoir* et *savoir*) • l'expression de la crainte avec le subjonctif	• l'avenir • les peurs	• les sons [œ] (*peu*) et [ø] (*cœur*) • liaisons et enchaînements
LEÇON 24 **Jouer n'est pas** **gagner.**	• prévoir • exprimer ses craintes/ envies pour l'avenir	• la forme passive • la négation : *ne... ni... ni*	• les superstitions • l'astrologie	• les consonnes [t] et [d] • les consonnes [l] et [ʀ]

• **Civilisation : Les superstitions**
• **Entraînement au DELF**
• **Bilan actionnel**

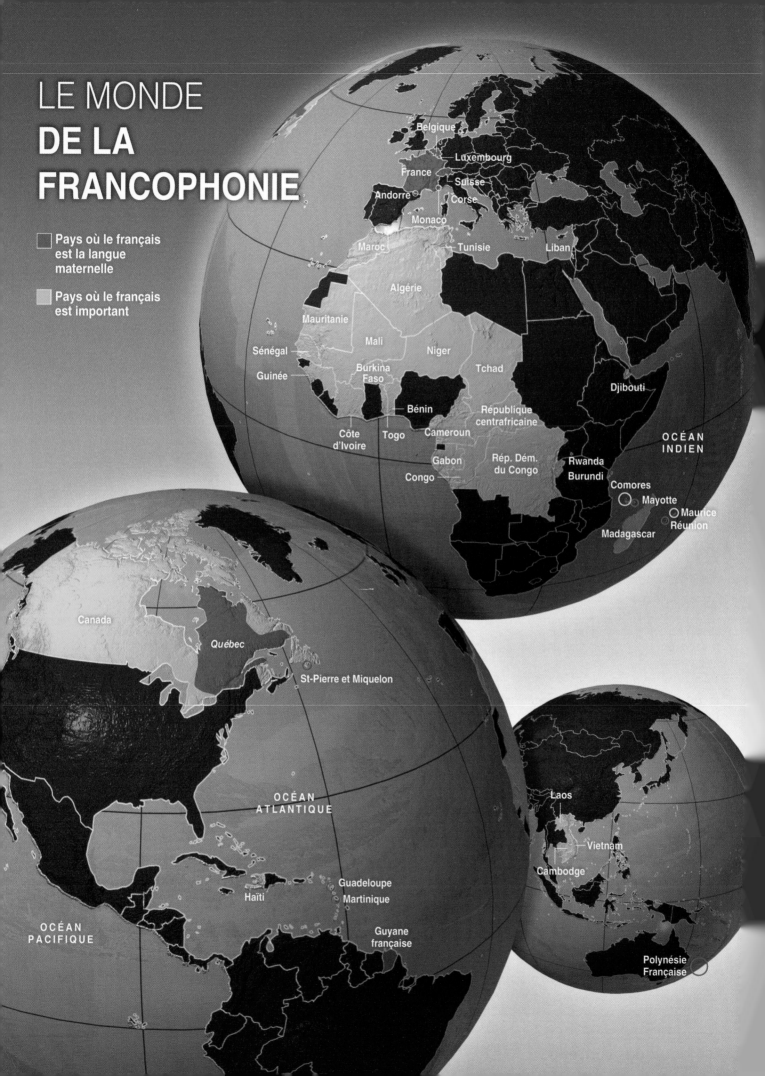

LE MONDE
DE LA
FRANCOPHONIE

☐ Pays où le français
est la langue
maternelle

☐ Pays où le français
est important

Belgique
Luxembourg
France
Suisse
Andorre
Corse
Monaco
Maroc
Tunisie
Liban
Algérie
Mauritanie
Mali
Niger
Sénégal
Guinée
Burkina
Faso
Tchad
Djibouti
Bénin
République
centrafricaine
Côte
d'Ivoire
Togo
Cameroun
OCÉAN
INDIEN
Gabon
Rép. Dém.
du Congo
Rwanda
Burundi
Congo
Comores
Mayotte
Maurice
Réunion
Madagascar

Canada
Québec
St-Pierre et Miquelon
Laos
OCÉAN
ATLANTIQUE
Vietnam
Cambodge
Haïti
Guadeloupe
Martinique
OCÉAN
PACIFIQUE
Guyane
française
Polynésie
Française

Parlez-moi de vous

LEÇON 1

Voyage, voyage

- Expliquer qui on est, ce qu'on fait, où on va

LEÇON 2

Fais pas ci, fais pas ça

- Décrire une expérience – donner son opinion – faire part de ses projets

LEÇON 3

Un succès international

- Présenter quelqu'un – décrire ses goûts et ses habitudes

LEÇON 4

Cherche correspondant

- Écrire une lettre pour se présenter – expliquer où on vit, ce qu'on fait...

Voyage, voyage

Je comprends et je communique

■ Bruxelles, Bordeaux, Montréal ◎

A

B

C

Nous avons interrogé Goran, Megan et Huan Jue, ils habitent tous les trois dans un pays francophone. Écoutez-les.

Goran à Bruxelles
Bonjour, je m'appelle Goran, je suis bulgare et je travaille à Bruxelles pour l'Union Européenne. Ma femme travaille à Londres, on se voit tous les week-ends. Un week-end sur deux, je prends le train. Une fois, c'est moi : je vais à Londres, une fois c'est elle : elle vient à Bruxelles. Vive le Thalys ! En deux heures de train, je suis arrivé ! Chaque fois que je vais à Londres, mon sac est lourd et je n'ai plus de place pour mon ordinateur, ma femme adore le chocolat belge... Excusez-moi, je me dépêche, mon train est à 14h23.

Megan près de Bordeaux
Bonjour, je m'appelle Megan, je suis américaine, je viens de Californie, je suis décoratrice. J'habite chez ma tante et mon oncle, ils ont acheté un château près de Bordeaux, en France. C'est un vieux château des années 1720 je crois, attendez je me suis trompée... des années 1820. J'aide ma tante à décorer le château. Ce n'est pas classique de vivre dans un château à notre époque, c'est vrai. Mais un peu de folie dans la vie, ça fait du bien.

Huan Jue à Montréal
Bonjour, je m'appelle Huan Jue, je suis chinoise. Je suis étudiante de musique à l'université de Montréal au Québec. J'ai appris le français à Shanghai avec des professeurs français. Quand je suis arrivée au Canada, je ne comprenais pas l'accent canadien. Ce n'était pas facile, mais mes professeurs m'ont aidée, heureusement j'ai aussi une bonne oreille ! Oui, vous avez raison, ça aide d'être musicienne. Aujourd'hui, je comprends quand on parle canadien et j'ai beaucoup d'amis à l'université !

Vocabulaire

• **Verbes**
aider quelqu'un à faire quelque chose
croire
se tromper

• **Noms**
un accent
une fois
un oncle
une oreille
une place
une tante

• **Adjectifs**
chaque
lourd(e)

• **Mots invariables**
près de
si (pour répondre à une question négative)

• **Manières de dire**
Attendez !
avoir une bonne oreille
un week-end sur deux
Vive...
Vous avez raison.
On se voit. = On se rencontre.

Écouter

• **Écoutez les témoignages, page 14, et reliez chaque photo au personnage correspondant.**

•   •   Huan Jue

•   •   Mega

•   •   Goran

• **Répondez en cochant *Vrai, Faux* ou *On ne sait pas*.**

	Vrai	Faux	On ne sait pas
a. Goran travaille à Londres pour l'Union Européenne.	☐	☑	☐
b. Le train s'appelle le Thalys. De Londres à Bruxelles, le voyage en train dure deux heures.	☑	☑	☐
c. Megan habite dans un bateau près de Bordeaux.	☐	☑	☐
d. La tante et l'oncle de Megan ont acheté un château des années 1820.	☑	☐	☐
e. Huan Jue a appris le français avec des professeurs français et ne comprenait pas l'accent canadien.	☑	☐	☐
f. Un musicien a en général une bonne oreille.	☑	☐	☑

Communiquer

En groupes de deux, posez cinq questions et répondez par *Oui/Si* ou par *Non*.

Exemples :
Tu n'apprends pas le français ? – Si / Non.
Est-ce que tu apprends le français ? – Oui / Non.

Comprendre

• **Remettez ces phrases dans l'ordre.**
a. Goran – voir – Londres – à – pour – sa – train – sur – week-end – prend – un – deux – le – femme
b. Megan – dans – habite – château – un
c. Huan Jue – et – appris – a – oreille – elle – a – comprendre – bonne – à – l'accent – une – canadien

Écrire

Êtes-vous déjà allé(e) en France ? Dans un pays francophone ? Racontez vos premiers moments, comme Huan Jue à Montréal.
Exemple : Quand je suis arrivée au Canada, je ne comprenais pas l'accent canadien.

Je prononce

• **La suppression du « e » (1)**
Écoutez et répétez :
J(e) vous en prie.   J(e) viens d(e) Californie.
C'est près d(e) Bordeaux.   On s(e) voit l(e) week-end.

J'APPRENDS ET JE M'ENTRAÎNE

Grammaire

• **Les prépositions**
*Je viens **de** Californie, je passe mes vacances **en** France et je vais **près de** Bordeaux.*
*Je vais **chez** mon oncle, **chez** toi, **chez** Lucas.*
(chez + une personne)
*Elle passe le week-end **avec** lui. Elle ne peut pas vivre **sans** lui !*

 *un week-end **sur** deux*
*En France, plus d'une personne **sur** cinq a plus de 60 ans.*

• **Les verbes pronominaux : se + ...**
Le sujet du verbe et le pronom représentent la même personne :
• au présent : *Mon copain et moi, on **se** voit chaque week-end.*
• au passé composé, <u>toujours</u> l'auxiliaire **être** :
*Je me suis trompé. Nous nous **sommes** excusés.*

• **Les adjectifs possessifs**
– *C'est **ton** copain ? – Non, c'est **mon** frère.*
– *C'est **ta** tante ? – Oui, c'est la sœur de **ma** mère.*

 Si le nom féminin commence par une voyelle :
Ton université est loin ?
*Voilà **mon a**mie Suzie.*
*C'est **son i**dée.*

• **Oui/Si et... non !**
Observez :
– *C'est facile ?*
– *Oui, c'est très facile.* // – *Non, ce n'est pas facile.*
– *Ce n'est pas difficile ?*
– *Si, c'est difficile.* // – *Non, ce n'est pas difficile.*
→ Question affirmative → **oui** ou **non**
→ Question négative → **si** ou **non**

• ***Chaque* + nom singulier = *Tous les* + nom pluriel**
***Chaque week-end**, elle voit son copain Stefano.*
= ***Tous les week-ends**, elle voit son copain Stefano.*

---

1 **Léa présente sa famille.**

Écoutez le dialogue et complétez l'arbre généalogique de Léa.

 LÉA

2 Complétez.

a. La sœur de mon père, c'est ma ....

b. La mère de mon père, c'est ma ....

c. Le frère de ma mère, c'est mon ....

d. Le frère de mon père, c'est aussi mon ....

e. Et la sœur de ta mère ? C'est ma ....

f. Le père de mon père, c'est mon ....

g. Et son frère ? C'est mon ....

3 Complétez par *oui, si* ou *non*.

À une question, il faut répondre par *si*. Laquelle et pourquoi ?

a. Vous êtes française ? – ...., je suis canadienne.

b. Vous êtes venu en voiture ? – ...., j'ai pris le train.

c. Vous ne connaissez pas le verbe savoir ? – ...., bien sûr, je le connais !

d. Tu aimes le jazz ? – ...., beaucoup. Et toi ?

e. Vous vous êtes trompé, c'est ma place ! – Ah ...., c'est vrai ! Excusez-moi !

f. Pardon, vous savez où est la rue des Écoles ? – ...., désolé !

4 Complétez.

Utilisez : *chaque week-end – à Paris – avec le train – dimanche soir – vendredi*.

Gabrielle habite .... et son copain travaille à Bruxelles mais, ..., ce n'est pas un problème.

Ils se voient .... Aujourd'hui, nous sommes ...., elle va le retrouver pour dîner avec lui

et ...., elle rentre à Paris.

5 Gabrielle va prendre quel train ?

Gabrielle est étudiante à Paris, elle a rendez-vous à 20h30 à Bruxelles, au Chat noir, pour dîner avec son copain. Entre la gare du Midi à Bruxelles, et le restaurant, il faut 15 minutes à pied. Elle prend le train à la gare du Nord à Paris. Elle va acheter son billet de train.

Imaginez la conversation de Gabrielle avec un employé de la SNCF (Société nationale des chemins de fer français) à la gare du Nord.

Départ Paris-Gare du Nord	Arrivée Bruxelles-Gare du Midi	Prix
18h01	19h23	29,00 €
18h25	19h47	35,00 €
19h08	20h30	25,00 €
19h25	20h45	33,00 €

6 Les étudiants étrangers en France

Lisez ce texte.

Et chez vous ? Il y a beaucoup d'étudiants étrangers ? Ils viennent de quels pays ? Qu'est-ce qu'ils étudient, en général ? Rédigez un texte de 5 lignes environ.

En 1960, il n'y avait pas beaucoup d'étudiants étrangers en France : 20 000.
En 1998, ils étaient 152 000 et ils sont environ 270 000 aujourd'hui. Cela représente 12 % de l'ensemble de tous les étudiants. 44 % des étudiants étrangers viennent du continent africain, 24 % d'Asie, 23 % d'Europe et seulement 8 % d'Amérique.

La première nationalité représentée : les étudiants marocains (30 000) puis les Chinois (27 000) et les Algériens (21 000).

Plus d'un tiers des étudiants étrangers étudient à Paris ou dans la région parisienne.

Fais pas ci, fais pas ça

JE COMPRENDS ET JE COMMUNIQUE

La star d'aujourd'hui : Valérie Bonneton

Valérie Bonneton, bonjour. Nous sommes très heureux de vous recevoir aujourd'hui dans notre émission « Stars d'aujourd'hui » sur Radio Bleue. Vous venez juste de terminer la dernière saison de la série télévisée « Fais pas ci, fais pas ça ». Vous étiez au Canada pour la fin du tournage. Comment allez-vous ? Pas trop fatiguée ?

Ça va bien ! Merci de me recevoir ! Je viens de passer deux semaines magnifiques au Canada. J'ai un rôle en or ! Je suis heureuse de jouer dans cette série avec des partenaires incroyables. Ça se passe très bien avec eux.

Alors, parlons de vos partenaires, Guillaume de Tonquédec, Isabelle Gélinas, Bruno Salomone...

Bruno ! Il vient de sortir un CD de chansons d'amour. Je l'aime beaucoup, c'est quelqu'un de merveilleux, en plus, il est très romantique.

Et vous ? Que faites-vous maintenant ?

Depuis mon voyage au Canada, je me repose : je me couche tôt, je me lève tard. Un vrai bonheur ! Ensuite, à partir du printemps prochain...

Vous retournez à votre premier amour, le théâtre je crois... Vous allez jouer dans la prochaine pièce de Yasmina Reza, n'est-ce pas ?

Oui, vous savez tout ! Après mon rôle d'actrice à la télévision, je retourne au théâtre. Venez nous voir au Théâtre Antoine le printemps prochain !

Merci, Valérie Bonneton, pour cet entretien. On espère vous recevoir à nouveau dans notre émission « Stars d'aujourd'hui ». Et maintenant un peu de musique.

Vocabulaire

• Verbes
se coucher
jouer (un rôle)
se lever
recevoir quelqu'un
retourner à
terminer

• Noms
un acteur, une actrice
l'amour
le bonheur
une émission (de radio,
de télévision)
la fin
la musique
un partenaire
une pièce de théâtre
une série télévisée
une star
le tournage d'un film

Adjectifs
heureux/heureuse
merveilleux/
merveilleuse
romantique

• Mots invariables
à partir de
tard
tôt

• Manières de dire
juste (= exactement,
depuis très peu
de temps)
Ça se passe bien.
un rôle en or
C'est quelqu'un
de merveilleux.

Écouter

• Écoutez l'interview, page 18, et entourez les mots que vous entendez.
radio – Canada – Allemagne – gymnastique – romantique – partenaires – star – série télévisée – printemps – université

Comprendre

• Cochez la bonne réponse.

a. C'est une émission de radio sur :
☐ la femme française ☐ les parents ☐ les gens célèbres

b. L'actrice s'appelle :
☐ Valérie Bourgeois ☐ Valérie Bonneton ☐ Val Kilmer

c. C'est une actrice :
☐ de théâtre ☐ de télévision ☐ de théâtre et de télévision

d. Après « Fais pas ci, fais pas ça », l'actrice va :
☐ se reposer ☐ commencer une nouvelle série télévisée
☐ arrêter la télévision

e. Ensuite, elle va jouer :
☐ dans un film japonais ☐ dans le dernier James Bond
☐ dans une pièce de théâtre

Communiquer

En groupes de deux ou trois, trouvez cinq raisons d'aller au théâtre. En général, pourquoi les gens vont plus au cinéma qu'au théâtre ? Discutez.

Écrire

Êtes-vous fan d'un acteur ou d'une actrice célèbre ?
Rédigez l'interview de votre acteur ou actrice préféré(e).

Je prononce

• Écoutez et répétez :
1. Les sons [d] et [t] : Tu as terminé ton travail ? – Je vais à Dijon lundi, mardi ou jeudi. – Je pars dans dix minutes. –
C'est difficile, le tennis ? – Dimanche, j'ai dormi très tard.
2. Les enchaînements : Voici notre émission « Stars d'aujourd'hui. » – C'est un acteur en or. – Elle joue au Théâtre Antoine.
3. L'accent d'insistance : J'ai **adoré** le rôle ! – C'est **vraiment** un acteur en or ! – Ça se passe **très** bien.

J'APPRENDS ET JE M'ENTRAÎNE

Grammaire

- **L'interrogation**
  Pour demander une confirmation → *n'est-ce pas ?*
  On attend la réponse → **Oui.**
  Vous allez jouer dans la pièce de Yasmina Reza, n'est-ce pas ?
  – **Oui**, *en effet.*

- **L'expression de la durée**
  → **Précis grammatical, page 152**

- **Le futur proche :** *aller* au présent + infinitif
  Pour exprimer une action proche dans le temps.
  Au printemps prochain, elle **va jouer** *au théâtre Antoine.*

- **Les verbes pronominaux (2)**
  Attention à l'accord entre le sujet et le participe passé !
  *Elle s'est bien repos***ée***. Les acteurs* **se sont vus** *au Canada.*

- **Le passé immédiat :** *venir de* + infinitif
  Vous **venez de passer** *deux semaines au Canada et vous êtes fatigué ! Impossible !*

1 Que vont-ils faire ?

Trois étudiants Paul, Hiko, Jessica parlent de leur vie à l'université. Écoutez et complétez. Utilisez *aller* au présent + infinitif.

Paul .... à Rennes près de l'université. Il .... l'histoire de l'art.
Il .... des amis anglais ou américains pour parler anglais.

Hiko .... en vélo. Elle .... tous les jours avec des amis.

Elle .... la télévision française et elle .... la radio.

Jessica .... pour aller à l'université. Elle .... dans un café.
Elle ....

2 Répondez aux questions.

Transformez ces phrases comme dans les exemples.

Exemples : Elle est partie ? → Oui, elle vient juste de partir.
Tu as terminé ton travail ? → Oui, je viens juste de le terminer.

a. Tu as vu Natacha ? → Oui, je ...

b. Elle a passé ses examens ? → Oui, elle ...

c. Tu viens avec moi voir le dernier film de Tanaka ? → Non, je ...

d. Elle a déménagé ? → Oui, elle ...

e. Ils se sont mariés ? → Oui, ils ...

3 Conjuguez les verbes.

Utilisez *venir de* + infinitif ou *aller* + infinitif, puis reliez pour faire une phrase.

venir de + infinitif

a. Il **vient de** passer un mois en vacances à Port-Louis, il veut déjà retourner vivre là-bas. Il...

b. Au travail, je suis très occupé. Par exemple, je .... finir une réunion. Dans 15 minutes...

c. Nous .... de faire les courses, nous avons acheté beaucoup de choses. Nous...

d. Je .... voir le dernier film de Johnny Deep, je l'adore. Je...

e. Elle .... manger un hamburger avec des frites et un soda. Elle...

f. Ils .... avoir le baccalauréat en juillet, ils...

aller + infinitif

g. .... étudier à l'université en septembre.

h. .... manger une salade demain.

i. .... demander à travailler à l'île Maurice.

j. .... rencontrer des nouveaux clients.

k. .... faire la cuisine. Il est midi. Les enfants ont faim.

l. .... écrire un tweet pour le dire à mes amis.

4 Mettez ces phrases dans l'ordre chronologique.

a. Ensuite, l'après-midi, nous allons voir un film ou bien nous allons nous promener dans le jardin des Tuileries.
b. J'ai commencé à faire mon devoir de français ce matin à 9h.
c. Normal ! J'ai mon premier rendez-vous avec ma nouvelle copine. Elle s'appelle Adèle. On s'est rencontré il y a un mois.
d. On déjeune ensemble au Palais-Royal.
e. Il est midi. Je viens juste de le terminer. Trois heures de travail !
f. Je me prépare et je mets mes plus belles chaussures.

5 Complétez.

Accordez si nécessaire.
a. Stella Jourdan est arrivé...... dans les studios de la radio à 9 h.
b. Elle a bu...... un café puis l'émission a commencé....... .
c. Elle s'est bien reposé...... depuis la fin du tournage.
d. Elle a dit...... des choses très aimables sur Charles Bruneau, son partenaire.

6 Êtes-vous un fan ? Twittez vos stars !

Écrivez un tweet à votre star. À deux ou à trois, choisissez une personnalité célèbre et commencez votre tweet par @prénom+nom. Par exemple, si vous voulez écrire à Valérie Bonneton, écrivez @valeriebonneton. Vous pouvez utiliser 140 caractères maximum.

Pour vous aider...

Verbes	Adjectifs	Noms
• adorer	• beau/belle	• la série télévisée
• aimer	• super	• la pièce de théâtre
• aller	• magnifique	• l'émission de radio
• tomber amoureux	• incroyable	• le tournage de film

> @valeriebonneton. Je vous adore dans « Fais pas ci, fais pas ça ». Je suis fan de la série depuis des années ! Je suis allé hier soir au Théâtre Antoine, vous êtes incroyable ! Vous jouez un rôle magnifique ! Vous êtes mon actrice française préférée !

Un succès international

Je comprends et je communique

■ Mon livre préféré était Harry Potter.

Lorsque j'étais petit, je ne lisais pas beaucoup mais, pour mes huit ans, mes parents m'ont offert un livre de Harry Potter. Depuis cet anniversaire, j'ai commencé à aimer lire. Est-ce que vous aussi vous avez lu Harry Potter ? Il avait les cheveux courts, les yeux verts et portait des lunettes rondes.

Au début, il vivait chez son oncle et sa tante. Ça ne se passait pas très bien parce qu'ils ne l'aimaient pas. Il n'était pas heureux et à onze ans, il est allé dans une école de sorciers en Écosse. Il faisait du sport, jouait au Quidditch (un sport de sorciers). Harry jouait aussi de la flûte, pas pour jouer de la musique dans un orchestre avec des violons et des guitares, mais pour faire dormir les chiens ! Quand il est arrivé, il était stressé comme tous les nouveaux élèves et il a fait la connaissance de deux autres sorciers. Leurs prénoms sont Hermione et Ron. Hermione était sérieuse et Ron était timide.

J.K. Rowling a écrit l'histoire de Harry Potter il y a plus de vingt ans. Les enfants mais aussi les adultes ont lu ses livres. Depuis Harry Potter, un nouveau genre littéraire est né. Les films de Harry Potter ont connu un succès international et les acteurs sont devenus des stars.

Vocabulaire

• Verbes
jouer de (+ instrument de musique)
jouer à (+ sport)

• Noms
un chien
un(e) enfant
un genre littéraire
une guitare
un orchestre
un prénom
un sorcier
une ville
un violon
les yeux

• Adjectifs
sérieux/sérieuse
stressé(e)
court(e)
mince

• Manières de dire
faire la connaissance de quelqu'un
pas très bien

Écouter

• Écoutez le témoignage, page 22, et cochez *vrai* ou *faux*.

	Vrai	Faux
a. Lorsque j'étais petit, je ne lisais pas.	❏	❏
b. Mes parents m'ont offert un livre de Harry Potter pour mes huit ans.	❏	❏
c. Quand Harry est arrivé, il n'était pas stressé.	❏	❏
d. Les adultes n'ont pas lu ses livres.	❏	❏

! Comprendre

• Cochez la bonne réponse, répondez aux questions.

a. Le livre « Harry Potter à l'école des sorciers » est un livre :
❏ de cuisine.   ❏ de littérature fantastique.   ❏ pour les sorciers.

b. Harry Potter est :
❏ sorcier.   ❏ professeur.   ❏ musicien.

c. La vie d'Harry Potter semble :
❏ sérieuse.   ❏ simple.   ❏ extraordinaire.
Pourquoi ?

d. Où se trouve l'école des sorciers ?

Communiquer

Harry Potter joue au Quidditch et joue de la flûte. Est-ce que vous faites du sport ? Est-ce que vous jouez d'un instrument ? Présentez votre activité à la classe.

Exemple : Depuis le mois dernier, je joue du violon dans un orchestre les mardis soirs. Il y a cinq ans, je faisais beaucoup de sport, puis j'ai eu un enfant et depuis, j'essaie de faire du sport une fois par semaine.

Écrire

Enfant, quel personnage de fiction vous aimiez ? Présentez ce personnage, ses goûts, ses habitudes, sa vie.

....
....
....
....
....
....

Je prononce

• Écoutez et répétez :
1. Les liaisons obligatoires : Nous avons fait connaissance. – Les amis de Harry sont sympas. – Il a onze ans ? – Vous êtes française ? – Ce sont des amies à toi ? – Oui, ce sont mes amies. Elles sont étudiantes.

2. Les sons [b] et [p] : C'est un bon copain. – Ce n'est pas bien. – Il y a un très beau piano. – Le bus part bientôt ? – Je voudrais une petite boîte de peinture.
→ La position de la bouche est la même mais la consonne [p] est sourde (il n'y a pas de vibration) et la consonne [b] est sonore (vibration).

J'APPRENDS ET JE M'ENTRAÎNE

Grammaire

• Les relations passé composé/imparfait (1)

→ **Précis grammatical, page 150**

Quand il est arrivé (= un événement précis), *il était très stressé* (= un état).

Il n'était pas heureux (= un état). *Puis à 11 ans, il est parti à l'école des sorciers* (= une action, un fait ponctuel, précis).

→ On utilise le passé composé pour des faits précis, ponctuels et l'imparfait pour décrire des états, pour faire des commentaires.

• Les emplois de *depuis* et de *il y a*

→ **Précis grammatical, page 152**

Depuis : *Depuis cet anniversaire, j'ai commencé à lire.*

→ *Depuis* peut être suivi d'une date (*mardi 15 janvier*), d'une durée (*dix ans*) ou d'un événement (*cet anniversaire*).

Avec *depuis*, l'action continue dans le présent : *J'aime encore lire.*

Il y a : *JK Rowling a écrit l'histoire de Harry Potter il y a plus de vingt ans..*

→ *Il y a* est toujours suivi d'une durée (*dix ans, longtemps, trois jours*). *Il y a* exprime un fait ponctuel dans le passé (*une rencontre, un voyage, une naissance*).

• Les pronoms compléments directs (COD) et indirects (COI)

→ **Précis grammatical, page 148**

*Ils ne **l'**aimaient pas. Ils ne **l'**ont pas aimé.*

*Harry **lui** parle. Harry **lui** ai parlé.*

→ Au présent et au passé composé, le pronom est **avant** le verbe.

mais :

*Harry va **l'**aider.*

Harry veut aider Ron.

*Harry va **lui** parler.*

→ Avec deux verbes, le pronom est **entre** les deux verbes.

---

1 Qu'est-ce qui a changé ?

Écoutez et écrivez ce qui a changé dans la vie d'Antoine, Camille, Isabelle, Romain et Jeanne. Puis associez une image avec un personnage.

Antoine : ....

....

Camille : ....

....

Isabelle : ....

....

Romain : ....

....

Jeanne : ....

....

c. ....

b. ....

e. ....

a. ....

d. ....

2 Barrez l'intrus.

a. violon – flûte – chien – guitare

b. handball – quidditch – football – tennis

c. timide – sérieux – école – heureux

d. livre – littéraire – succès – lire

e. jouer de la guitare – jouer dans un film – jouer au théâtre

3 *Depuis ? Il y a ?*

a. Je suis allé une fois en Corée du Sud .... deux ans.

b. – Vous attendez le bus .... combien de temps ?

c. .... deux jours, j'ai vu un film absolument super !

d. – Vous habitez au Canada .... quand ? – .... 1999.

e. Je suis arrivé à Paris .... plus de vingt ans. J'étais jeune !

f. J'habite à Paris .... vingt ans.

4 Un dimanche à Montmartre

Complétez à l'imparfait ou au passé composé.

Dimanche dernier, Peter, Anna et moi, nous (*visiter*) .... le Sacré-Cœur

de Montmartre. Nous (*prendre*) .... le métro jusqu'au pied de la Butte

et nous (*arriver*) .... au Sacré-Cœur. Il (*faire*) ....

un temps magnifique, le ciel (*être*) .... tout bleu et il y (*avoir*)

.... beaucoup de touristes. Ils (*prendre*) ....

des photos. Nous (*s'asseoir*) .... en haut des marches et nous (*déjeuner*)

.... Après le déjeuner, nous (*aller*) .... dans la crypte.

C'(*être*) .... très intéressant.

Ensuite, nous (*monter*) .... tout en haut du Sacré-Cœur : la vue (*être*) .... incroyable ! Pour tout ça,

nous (*payer*) .... seulement cinq euros. Pour un étudiant, ça va, ce n'(*être*) .... pas trop cher !

5 Complétez.

Attention au temps du verbe et à la place du pronom !

*Exemples : – Tu as vu le dernier film de Chang-dong Lee ? – Oui, **je l'ai vu** hier soir avec Jessica.*

*– Tu as téléphoné à tes parents ? – Non, **je vais leur** téléphoner dimanche prochain.*

a. Tu as vu ton frère ce matin ? – Non, je .... demain matin.

b. Vous avez fait votre exercice ? – Oui, bien sûr, nous .... hier soir.

c. Tu as écrit au directeur du collège ? – Oui, oui, je .... hier.

d. Tu veux bien faire le ménage, s'il te plaît ? – Ah non, je .... Je déteste ça !

e. Quand est-ce que tu as rencontré ton copain chinois ? – Je .... il y a deux ans, quand il est arrivé en France.

6 Aimez-vous ce type de littérature ?

En groupes de quatre ou cinq élèves, rédigez quelques lignes, puis donnez votre avis à la classe. Discutez.

Les livres de Harry Potter ont connu un succès international avec 400 millions de livres vendus dans le monde (24 millions vendus en France). Des enfants, des jeunes, des parents, des grands-parents ont lu le livre, sont allés au cinéma, ont acheté des cadeaux. Depuis le « phénomène » Harry Potter, il y a eu d'autres livres : Twilight ou Hunger Games.

Un genre de littérature jeunesse est né. Est-ce pour les jeunes ? Pour les adultes ? Pour le cinéma ? Cette littérature est cinématographique, les lecteurs se retrouvent loin de la vie de tous les jours.

Cherche correspondant

■ **J'espère que vous allez me répondre.**

| Supprimer | Indésirable | Répondre | Rép. à tous | Réexpédier |

À : jacques.vaugier@francophonie.org

Objet : Recherche de correspondants francophones

Cher Monsieur Vaugier,

Je m'appelle Émilie Berthet, je suis suisse, j'habite à Lausanne, au nord du Lac Léman. La France est juste de l'autre côté, à l'ouest du lac.

Je suis étudiante en deuxième année de journalisme et mon professeur m'a demandé de vous écrire parce que vous recherchez des correspondants de pays francophones pour votre journal.

J'écris de courts textes en français dans le journal de l'université. J'ai étudié l'architecture pendant une année, c'était très intéressant mais j'ai choisi de faire des études de journalisme pour travailler dans les médias. À mon avis, la langue française est une belle langue mais elle n'est pas assez parlée dans d'autres parties de la Suisse. Ici, les gens sont gais, ils ne sont pas tristes, ils aiment rire. Nous nous entendons bien avec les Français, la Suisse est en partie francophone ! La ville de Lausanne est la quatrième grande ville en Suisse. Mais si vous regardez sur un plan, elle est assez petite.

J'espère que vous recherchez toujours des correspondants francophones pour votre journal et que vous allez répondre à mon e-mail.

Cordialement,

Émilie Berthet

Vocabulaire

• Verbes
choisir
demander à quelqu'un de faire quelque chose
espérer
répondre à quelqu'un
rire

• Noms
l'architecture
un correspondant
un côté
un lac
la langue
un pays
un plan
les médias
la ville

• Adjectifs
francophone
gai(e)
triste

• Mots invariables
au bord de
assez, pas assez
en partie
au nord
à l'ouest

• Manières de dire
On s'entend bien. (= On s'aime bien.)
à mon avis
écrire en français
cordialement (pour terminer une lettre
ou un e-mail formel)

Écouter

• Écoutez et répondez aux questions.
a. Est-ce qu'Émilie Berthet est francophone ?
b. Où se trouve Lausanne ?
c. À qui Émilie écrit et pourquoi ?
d. Quelle est la profession d'Émilie Berthet ?
e. Est-ce qu'elle a déjà travaillé dans le journalisme ?

! Comprendre

**• Regardez la carte de l'île Sainte-Marguerite. Écoutez le texte
et complétez les phrases à l'aide des mots invariables : *au bord de,
nord, sud, l'est, l'ouest, à côté.***

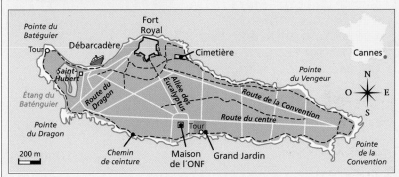

a. Au .... de l'île, il y a un fort, une ancienne prison.
b. À ...., un étang, l'étang du Batéguier avec un observatoire au nord-ouest.
c. À ...., la pointe de la Convention ; au sud, la seule propriété privée de l'île
et, juste .... la maison de l'Office National de la Forêt (ONF).
d. La pointe du Dragon se trouve au .... – .... de l'île.
e. Le chemin de Ceinture est au .... de l'île, au .... de la mer.
f. Le cimetière est à .... du fort.

Communiquer

**Présentez votre ville à votre voisin. Trouvez des points
positifs et des points négatifs.**
*Exemple : J'habite Buenos Aires, le point positif est : il fait chaud
toute l'année, le point négatif : il y 3 millions d'habitants dans la ville,
il n'y a plus de place. Au nord de la ville, ...*

Je prononce

• La suppression du « e » (2)
Écoutez et répétez :
Tu vas m(e) répondre ? – J(e) finis le lycée. – Elle n'a pas d(e) frère,
pas d(e) sœur. – Elle habit(e) à Lausanne, en Suisse.

Écrire

**La Commission européenne cherche un(e)
étudiant(e) bilingue en français. Vous êtes en
dernière année d'université en langue française.
Écrivez un e-mail pour vous présenter.**

....
....
....
....
....
....
....
....
....

J'APPRENDS ET JE M'ENTRAÎNE

Grammaire

- **Le COI (complément d'objet indirect) (suite)**
  → **Précis grammatical, page 148**
- écrire **à** quelqu'un :
  *Émilie écrit **à Jacques Vaugier**.* = *Elle **lui** écrit.*
- expliquer quelque chose à quelqu'un :
  *Le professeur explique l'exercice **aux élèves**.*
  *= Il **leur** explique l'exercice.*
- répondre **à** quelqu'un :
  – Jacques va répondre à Émilie ?
  *– Oui, à mon avis, il va **lui** répondre.*
- demander quelque chose **à** quelqu'un :
  *Tu as demandé quelque chose **à mon frère** ?*
  *= Tu **lui** as demandé quelque chose ?*

- **L'expression du but (1) :** *pour* **+ infinitif**
  *J'ai choisi de faire des études de journalisme **pour travailler** dans les médias.*
- **Les relations passé composé/imparfait (2)**
  J'ai étudié l'architecture (un fait, une action, un événement), c'était intéressant ! (= un commentaire)
- **Les complétives (1)**
  Pour marquer son espoir → *j'espère **que**...*
  *J'espère **que** vous allez répondre à mon e-mail.*

1 Genève ou Lausanne ?

Écoutez et cochez ce que vous entendez.

a. ❑ Ils habitent dans l'Ouest canadien.   ❑ Ils habitent dans l'Est canadien.
b. ❑ C'est au bord du lac Léman.   ❑ C'est au nord du lac Léman.
c. ❑ C'est à côté du lac.   ❑ C'est juste à côté du lac.
d. ❑ Elle est à Genève ou à Lausanne ?   ❑ Vous êtes à Genève ou à Lausanne ?
e. ❑ Et eux, ils sont anglophones ?   ❑ Et eux, ils sont francophones ?

Lausanne

2 Un peu de géographie !

**Complétez les phrases avec les points cardinaux
(nord, sud, est, ouest) ou des noms de pays.**

a. La Mongolie se trouve au .... de la Chine.

b. À l'......................... de l'Espagne, il y a le Portugal.

c. La Suisse a une frontière avec cinq pays : le Liechtenstein,
l'........................., l'........................., la .... et l'.........................

d. Les États-Unis sont au .... du Canada et au
.... du Mexique.

e. Le Japon se trouve à l'......................... de la Corée.

3 • J'espère que...

Complétez les phrases.

Exemple : J'ai envoyé ma demande d'emploi cette semaine, j'espère qu'on va me répondre.

a. J'ai fini mes études universitaires cette année, j'espère ....

b. Ils vivent encore chez leurs parents, ils espèrent ....

c. Nous partons cinq jours en vacances, nous espérons ....

d. Elle a gagné 1 000 euros au Loto, elle espère ....

e. Vous apprenez le français tous les jours, vous espérez ....

4 Pour parler sans accent...

Reliez les phrases suivantes.

a. Il faut arrêter de boire du café après 21 heures pour...

b. Elle travaille beaucoup pour...

c. Il faut absolument réserver pour...

d. Dépêchez-vous pour...

e. Il faut habiter en France pour.....

1. ne pas être en retard !

2. dîner dans ce restaurant.

3. réussir son examen.

4. parler français sans accent.

5. bien dormir.

5 À côté de...

Décrivez l'image en utilisant : *à droite de - à côté de - à gauche de - entre - au milieu de.*

Fêtes et festivals
dans les pays francophones

En Belgique

3e édition de la fête de la bande dessinée à Bruxelles
La capitale du neuvième Art propose des animations dans toute la ville autour de la bande dessinée.
« Un week-end incontournable pour les amateurs de bande dessinée ! »

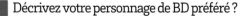 Décrivez votre personnage de BD préféré ?

Au Québec

Festival international de la littérature (FIL) à Montréal

Ce festival existe depuis 17 ans. Près de 200 écrivains participent à cette manifestation. Le FIL propose des spectacles entre théâtre et littérature, des expositions, des slams, des apéros poétiques, des projections de films dans toute la ville.

« Amoureux des mots, voici un festival pour vous. »

« Une fête des mots pour tous les publics, ça donne envie de lire un peu, beaucoup, passionnément, à la folie ! »

FIL
Festival international
de la littérature

21/29 septembre 2012
Montréal

Quels écrivains francophones est-ce que vous connaissez ?

Au Sénégal

Le Festival Africa Fête à Dakar

C'est un rendez-vous incontournable international des musiques africaines. Ce festival existe depuis douze ans. Des artistes déjà célèbres, des jeunes talents, des artistes étrangers et des groupes locaux sont au rendez-vous.

AFRICA FÊTE
FESTIVAL

Du 30 nov.
au 22 déc. 2012

Concerts
& Formations

Africa Fête est un festival créé par Mamadou Konté. Il a travaillé toute sa vie pour faire connaître la musique africaine dans le monde.

a. Est-ce que vous connaissez ces festivals ?
b. Décrivez un festival de votre pays.

Compréhension orale

1 Écoutez et répondez par Vrai (V), Faux (F), On ne sait pas (?). 🔘

	V	F	?
a. Sa copine s'appelle Alice.	☐	☐	☐
b. Elle a des yeux bleus magnifiques.	☐	☐	☐
c. Elle est née en Colombie.	☐	☐	☐
d. Elle habite à Bruxelles.	☐	☐	☐
e. Elle est professeur de maths.	☐	☐	☐
f. Le garçon qui parle n'aime pas beaucoup les maths.	☐	☐	☐
g. Il aime bien la littérature et le cinéma.	☐	☐	☐
h. Il est très amoureux d'Alice.	☐	☐	☐

Compréhension orale et expression écrite

2 Écoutez et complétez le texte. 🔘

Dans le film, *Amour d'un jour*, sorti cette semaine, Eva Morales ....
.... d'une femme fatale, sophistiquée et sans moralité. Elle séduit tous les hommes. C'est ....
...., bien sûr, mais il lui va très bien. Elle a vraiment le physique
du rôle, brune, volcanique, sexy... Face à elle, Stella Jourdan joue le rôle d'une femme fragile
abandonnée .... (c'est Charles Bruneau). Avec ....
ses cheveux blonds et son air innocent, Stella Jourdan, elle aussi, a vraiment le ....
.... Entre les deux femmes, Charles Bruneau hésite, il va ....
.... sauf pour Eva Morales qui connaît une destinée tragique.

Grammaire

3 Utilisez le mot qui convient : *à – au(x) – avec – de – chez – en – entre – sur.*

a. Il ne va pas voir ses parents chaque semaine, il y va une semaine .... deux.

b. Je suis parti .... moi .... huit heures et je suis arrivé .... l'université une heure plus tard.

c. Pour aller .... Portugal, tu préfères voyager .... avion ou .... train ?

d. Je m'entends très bien .... mon frère, il habite .... États-Unis, ... Chicago.

e. Tu peux me téléphoner demain, ... six et sept heures.

4 Répondez en utilisant le pronom qui convient.

a. – Tu as écrit à ta copine Brenda ? – Non mais je .... ai téléphoné samedi. Elle va bien.

b. – Tu vas chez Vanessa dimanche ? – Non, j'ai trop de travail. Si tu .... appelles, explique............ que je ne peux
pas venir chez ...., s'il te plaît.

c. Tes amis Martinet ? Non, je ne .... connais pas. Tu vas chez .... cet été ?

d. Quand j'ai rencontré Lucas et Julie, je .... ai proposé de venir au théâtre avec nous mais ils n'ont pas voulu.

e. Les films de Fellini ? Ah oui, je .... adore ! Je .... connais tous par cœur. Et toi, tu .... aimes bien, Fellini ?

Compréhension écrite

5 Voici quelques opinions d'habitants de Sucy, en grande banlieue de Paris, sur leur ville (forum Internet). Cochez sur la liste qui suit les points mentionnés sur Internet.

POUR
a. ❑ les espaces verts
b. ❑ des collèges et des lycées excellents
c. ❑ beaucoup d'agriculteurs
d. ❑ la proximité avec Paris
e. ❑ la qualité de vie
f. ❑ une ville pas chère du tout
g. ❑ le calme, la tranquillité

CONTRE
1. ❑ la violence
2. ❑ le trafic des camions et des voitures
3. ❑ le bruit
4. ❑ les impôts trop chers
5. ❑ pas assez de bibliothèques
6. ❑ le passage des avions
7. ❑ pas assez de transports en commun

Ce qu'ils aiment à Sucy
• C'est une charmante ville avec beaucoup d'espaces verts. Quand on aime la nature, c'est le rêve !
• La qualité de vie est remarquable. C'est tranquille, plein de forêts, idéal pour les randonnées en famille.
• C'est près de Paris. En 35 minutes, vous y êtes ! On est tout près de Paris sans les inconvénients de Paris.
• Ses jolies maisons en pierre, ses jardins. Sa tranquillité. Les bonnes relations de voisinage.
• Une grande douceur de vivre, des voisins agréables, de bonnes relations avec les gens.
• C'est un endroit calme idéal pour se promener. C'est presque comme vivre en province.
• Une très jolie ville très verte, avec beaucoup de jardins, des parcs, beaucoup de calme.

Ce qu'ils n'aiment pas
• C'est une ville très chère.
• Bruit, pollution, trop de camions qui vont vers Paris. Et les avions, ça passe sans arrêt.
• Pas grand-chose pour les jeunes. C'est trop tranquille. Il manque quelques cinémas, des bars…
• Il n'y a pas assez de bus. Quand on n'a pas de voiture, c'est la galère !
• Les maisons coûtent très cher et les impôts locaux sont trop élevés.
• Il n'y a pas grand-chose pour les petits : pas assez de crèches. Et pas assez d'autobus.
• Les impôts locaux sont très chers. Et pourquoi ? On pourrait AU MOINS avoir des bus. Le dimanche, surtout.

Compréhension et expression écrites

6 Lisez et répondez aux questions.

a. Pourquoi l'idée d'habiter à Sucy était une bonne idée ?
b. Pourquoi ses conditions de travail sont devenues plus difficiles ?
c. Comment comprenez-vous l'expression : « C'est vraiment métro-boulot-dodo » ?

Depuis 1985, Marc Rambert habite à Sucy, dans la grande banlieue est. Il travaille à la Défense depuis 1982. Il a choisi d'habiter à Sucy parce que c'est joli, calme, sympa et parce que c'est sur la même ligne de RER, le RER A. Bien sûr, Sucy et la Défense, c'est aux deux extrémités du RER et le trajet est un peu long mais il s'assied, il prend un bon livre et voilà. Il est à son bureau en moins d'une heure. Enfin, il ÉTAIT à son bureau en moins d'une heure ! Les choses ont bien changé depuis quelques années. Maintenant, le RER est toujours plein, archi plein : Marc Rambert voyage le plus souvent debout. « On est comme des sardines dans une boîte ! » dit-il. Et puis, très souvent, il y a des retards sur la ligne. Dix minutes, quinze minutes… Et le soir, c'est la même chanson ! Il n'est jamais à la maison avant 19h30.
« Chaque jour, c'est le stress, dit-il. Est-ce que je vais arriver au bureau à l'heure ? Avant, je me levais à 7 h pour être au travail à 9 h. Maintenant, je me lève à 6h30. Et le soir, je suis mort de fatigue ! C'est vraiment "métro-boulot*-dodo" ! »
* le boulot = le travail (en français familier).

Expression écrite

7 Décrivez en six lignes la ville ou le quartier où vous vivez.

Évaluez-vous

1 **Observez, puis répondez aux questions.**

Nous <u>allons organiser</u> notre voyage à l'étranger. Tu <u>vas regarder</u> sur Internet et moi, <u>je vais faire</u> la tournée des agences de voyage. <u>Nous prendrons</u> notre décision plus tard.

a. On utilise le futur proche pour parler d'un projet lointain ?   ❑ Vrai   ❑ Faux

b. On utilise le futur proche pour parler d'une action immédiate ?   ❑ Vrai   ❑ Faux

c. Mettez dans l'ordre : organiser / Nous / voyage / notre / allons / à / prochain / l'étranger.

....

2 **Complétez avec les verbes au futur proche :** *prendre – rater – avoir – téléphoner – commencer – attendre.*

– Dépêche-toi, nous .... le train !

– Attends, on .... un taxi.

– Je .... à mon directeur pour lui dire que nous .... un peu de retard.

– Tu crois que la réunion .... sans nous ? Est-ce qu'ils .... nous .... ?

Je suis capable de décrire une action qui se déroule dans un futur proche : ❑ oui, ❑ pas encore.

3 **Entourez la forme qui convient.**

Voici la photo de ma/mon famille. Tu reconnais Théo, notre/son fils ? Et là, près de lui, c'est George, mon/son mari. À côté de lui, tu vois la petite dame, c'est mon/ma grand-mère. À la gauche de Théo, il y a mes/notre beaux-parents. C'était avant le régime de Pierre ! Qu'est-ce qu'il a changé ! Tous nos/notre amis ne sont pas sur la photo. C'est triste, cela fait de bons souvenirs.

Je suis capable d'utiliser les adjectifs possessifs : ❑ oui, ❑ pas encore.

Action

Conseillez des amis qui visitent votre ville. Donnez-leur des informations pratiques (horaires, transports en commun, visites...).

....

....

....

....

....

....

....

Qu'est-ce qu'on peut faire ?

Une visite au musée Rodin

JE COMPRENDS ET JE COMMUNIQUE

Bonjour et bienvenue au musée Rodin

Bonjour et bienvenue au musée Rodin !

Je suis votre guide, je m'appelle Cédric et je vais vous faire visiter le musée Rodin. Je suis sûr que vous êtes d'accord avec moi, nous sommes dans le plus beau musée de Paris. D'abord il est installé dans ce superbe hôtel particulier, ensuite il y a un magnifique jardin, c'est une merveille ! Tous les premiers mercredis du mois, nous sommes ouverts le soir. Et puis, nous avons une galerie d'art dans un jardin, c'est unique. La meilleure saison pour visiter le musée, c'est le printemps. Vous pouvez prendre un café à la cafétéria du musée et regarder facilement les statues de Rodin.

À la fin de la visite, je pense que nous allons nous y arrêter. Elle est ouverte tous les jours sauf le lundi.

Avant de commencer la visite, est-ce que vous connaissez Woody Allen ? Oui, bien sûr ! Vous savez donc qu'en 2010, nous avons fermé le musée pendant quelques jours, pour le tournage de son film « Minuit à Paris ». Est-ce que vous l'avez vu ?

On a le temps

musée +
un déjeuner pour deux
(avec un verre de champagne)

entre 12h et 15h, tous les jours
sauf samedi, dimanche, lundi

Musée Rodin

On apprend les œuvres de Rodin

musée
+
ateliers « Lisez, regardez et écoutez Rodin » pour les écoles, lycées, universités et associations

Musée Rodin

On offre des cadeaux

musée
+
15 % de réduction
sur la boutique du musée

Musée Rodin

On a une famille

musée +
ateliers de peinture ou de sculpture pour les enfants
le dimanche de 10h30 à 14h
1 adulte + 2 enfants de moins de 18 ans de la même famille
(passeport requis)

Musée Rodin

Vocabulaire

• Verbes
arrêter (s'arrêter)
asseoir (s')
fermer
ouvrir
visiter

• Noms
une galerie d'art
un guide
la cafétéria
un hôtel particulier
un jardin
une merveille
un musée
une saison
une statue

Rappel :
les saisons
→ le printemps – l'été –
l'automne – l'hiver

• Adjectifs
meilleur(e)
ouvert(e)
sûr(e)
unique

• Mots invariables
à côté de
facilement
sauf

• Manières de dire
On a le temps.
d'abord...
ensuite...
et puis...
enfin...

Rappel :
le lundi = tous les lundis

Écouter

• Écoutez la présentation du musée Rodin par le guide et cochez *Vrai*, *Faux* ou *On ne sait pas*.

	Vrai	Faux	On ne sait pas
a. Ce dialogue se passe un mardi.	☐	☐	☐
b. Le musée Rodin est à Paris.	☐	☐	☐
c. C'est un musée et un hôtel.	☐	☐	☐
d. On peut visiter le musée le mercredi soir.	☐	☐	☐
e. Il y a une galerie d'art dans le jardin.	☐	☐	☐
f. On peut venir boire, manger et dormir au musée.	☐	☐	☐
g. La cafétéria est fermée le week-end.	☐	☐	☐
h. Il y a des tournages de film au musée.	☐	☐	☐

Je prononce

• L'intonation expressive
Écoutez et répétez :
a. Tu sais, Rodin !   – Tu sais, Rodin, le sculpteur.
b. Ah, bon ? Le plus beau ?   – Ah bon ? Le plus beau ? Plus beau que le Louvre ?
c. On y va quand ?   – On y va quand ? On part tout de suite ou on déjeune avant ?

! Comprendre

• Le musée propose quatre offres spéciales (page 36). Lisez les cinq situations suivantes et cochez l'offre (ou les offres) qui correspond(ent) à chacune de ces situations.

	Offre	Famille	Temps	Cadeaux	Art de Rodin
a. Est-ce que les enfants de ma sœur peuvent venir avec moi au musée ? Est-ce que je peux avoir une offre ?					
b. J'ai un rendez-vous avec ma copine ce week-end. Quelle est la meilleure offre ?					
c. Je suis en vacances avec mon mari et mon enfant de douze ans. Qu'est-ce que vous me proposez ?					
d. J'adore les musées, je suis étudiant en arts appliqués. J'aimerais acheter un souvenir de l'exposition pour mes amis.					
e. Ma femme et moi, nous avons plus de 55 ans, nous avons beaucoup de temps libre dans la semaine.					

👥 Communiquer

Vous travaillez au musée et vendez les billets. Choisissez une des situations de la rubrique *Comprendre*. Par groupes de trois, jouez la scène en proposant une offre spéciale.

✏ Écrire

Dans votre ville, quels sont les endroits culturels ou historiques que vous aimez ? Pourquoi ? Rédigez cinq lignes avec *D'abord... Ensuite... Et puis... Enfin...* et un superlatif *le plus... le moins...*

J'APPRENDS ET JE M'ENTRAÎNE

Grammaire

• **Les superlatifs :** *le plus..., le moins...*
Attention, deux structures sont possibles :
*C'est **le plus beau** musée de Paris.*
*C'est le musée **le plus beau** de Paris.*

⚠️ ~~*le plus bon(ne)*~~ → *le meilleur(e)* :
*C'est **la meilleure** saison de l'année.*
*C'est la saison **la meilleure** de l'année.*

• **Les adjectifs démonstratifs (1) :** *ce, cette, ces*
→ **Précis grammatical, page 147**

– *Regarde **cette** statue. Elle est belle, non !*
– *Très belle. Et **ces** tableaux aussi !*
– *Oui, **ce** musée est vraiment superbe !*

• **Le pronom « y »**
Il remplace un nom de lieu. Observez sa place :
– *Nous nous **y** arrêterons à 11h30. (y = à la cafétéria)*
– *Vous êtes allés en Italie ?*

– *Oui, nous **y** sommes allés en juin. (y = en Italie)*
– *Tu peux aller chez Élisabeth ?*
– *Non, désolé, je ne peux pas **y** aller. (y = chez elle)*

⚠️ Observez la place de « y » avec l'impératif :
– *Je peux aller au musée ?* – *Oui, vas-**y** !*

• **Les complétives (suite)**
Je suis sûr que vous êtes d'accord.
Vous savez que nous avons fermé le musée.

⚠️ N'oubliez pas le « que » !

• Observez les structures suivantes :
Je trouve ce musée très beau.
→ sujet + *trouver* + qqch ou qqn + adjectif
Je le trouve très beau.
→ sujet + pronom complément + *trouver* + adjectif

---

1 Écoutez Morgane, Claude et Matthieu.

Aiment-ils aller dans les musées ? Que pensent-ils de l'art ?

Puis, en petits groupes, répondez à une des trois questions suivantes et discutez ensemble.

a. Que pensez-vous de votre ville ?
b. Que pensez-vous des fast-foods ?
c. Que pensez-vous des touristes français ?

2 Remettez les phrases dans l'ordre.

a. statues – il – du – Dans – y – le – extraordinaires – jardin – a – des – musée
b. j'étais – les – musée – voir – Pendant – devant – le – acteurs – pour – film – tournage – du – le
c. ville – belle – la – de – pensons – France – plus – que – Perpignan – est – Nous

3 Comparez.

Par groupes de deux, faites des comparaisons en utilisant : *plus... que.../ moins... que...*
Puis utilisez un superlatif.

Exemple : Le poisson est plus cher que la viande, mais manger du poisson est meilleur pour la santé.

• le poisson – la viande
• le cinéma – les DVD
• la neige – la pluie
• la musique pop – la musique RnB
• le vélo – le bus
• l'ami(e) – le/la copain/copine

Voici quelques adjectifs pour vous aider : *cher, délicieux, facile, intéressant, magnifique...*

---

4 Paris, Montréal ou Casablanca ?

À votre avis, quelle est la ville la plus belle ? Quelle est la ville la moins belle ? Pourquoi ? Notez cinq raisons. Puis discutez avec votre voisin(e).

Paris

Montréal

Casablanca

5 Répondez aux questions

Remplacez ce qui est souligné par *y*. Attention à la conjugaison !

a. – Tu vas à Paris dimanche ? – Non, j'................................... mardi prochain.

b. – Vous êtes allés en vacances en Écosse ? – Oui, nous ....
deux semaines.

c. – Tu vas aller à l'université à quelle heure ? – Je .... à 4 heures.

d. – Elle habite rue des Écoles, n'est-ce pas ? – Oui, elle ....
depuis deux ans.

e. – Je peux aller chez Franck ? – Mais oui, bien sûr ! .... !

f. – On va à la plage. Tu viens ? – Non, ... sans moi, je préfère rester.

6 Mettez les phrases dans le bon ordre.

a. Et enfin, nous avons dîné à *La belle Vie*. C'est un très bon restaurant.

b. D'abord, nous avons pris un verre dans le quartier de la Croix-Rousse.

c. On y a mangé des spécialités de Lyon.

d. Samedi, je suis allé à Lyon pour le week-end, chez des amis.

e. Ensuite, nous sommes allés au cinéma.

7 Test : Qui êtes-vous ?

Choisissez une seule réponse par question.

a. Quand vous avez un problème, vous :

♠ cherchez une réponse au problème.

♣ parlez à votre famille, à vos amis.

♥ ne voyez pas le problème. Il n'y a pas de problème.

b. Votre chanteur/groupe/musicien préféré est :

♠ Air (musique électronique).

♣ Zaz (musique soul-pop-accoustique).

♥ Claude Debussy (musique classique).

c. La plus belle destination de vacances est :

♠ la mer.

♣ la ville.

♥ la montagne.

d. Vous rêvez souvent que :

♠ vous voyez à travers les murs.

♣ vous êtes sur un tournage de film.

♥ vous volez comme un oiseau.

e. Vous trouvez que la plus belle peinture est celle de :

♠ Henri Matisse.

♣ Fernand léger.

♥ Yves Klein.

Résultats :

• **Vous avez plus de ♠.** Vous aimez comprendre les choses. Vous êtes pragmatique.

• **Vous avez une majorité de ♣.** Vous aimez parler avec votre famille, vos amis. Vous êtes très occupé(e) entre le travail, les fêtes, les concerts.

• **Vous avez une majorité de ♥.** Vous n'avez pas beaucoup d'amis mais ce sont les mêmes depuis 10 ans.

Encore un régime !

JE COMPRENDS ET JE COMMUNIQUE

Dans la cuisine de la famille Bourgeat.

Bonjour ! Mon chéri. Tu veux prendre ton petit-déjeuner ?

Oui... Maman, je dois te dire, le pain, la confiture et le beurre... Ce n'est plus pour moi. J'arrête ! Je dois maigrir et changer mon régime alimentaire pendant un an au moins.

Mon fils me parle de faire un régime ? À moi, sa mère ? Dans quelle époque sommes-nous ?

Je veux être footballeur et jouer dans l'équipe de France.

Voyons, le sport, c'est dangereux.

Ah bon, et pourquoi ?

Hier, la pharmacie fermait à 18 heures, j'y suis allée cinq minutes avant pour acheter mes médicaments. J'ai couru. Depuis, j'ai mal quand je marche...

Le sport, c'est bon pour la santé, et aussi bon pour ta ligne. Tu ne fais plus de gym avec Anik ?

Ma ligne ? Mais tout va bien !

Euh... Oui, mais non, tu as un peu grossi cet hiver, tu as quelques kilos à perdre. C'est facile ! Il faut arrêter de manger du pain, de boire de l'alcool. C'est mauvais pour la ligne ! Moi, par exemple, je ne bois plus de soda.

Oh ça va. De temps en temps, un petit verre de vin, c'est permis. C'est bon pour la santé !

Mon entraîneur a dit : « L'alcool, c'est interdit ! »

C'est interdit pour toi ! Pas pour moi ! Bon, mon chéri, je vais aller me préparer. J'ai rendez-vous dans deux heures avec Anik. Bisous et bonne journée.

Vocabulaire

- **Verbes**
courir
grossir
maigrir
perdre
- **Noms**
de l'alcool (m.)
un entraîneur
une équipe de football
de la gym(nastique)
un médicament
du pain
un régime (alimentaire)
la santé
un soda
- **Adjectifs**
dangereux/dangereuse
interdit(e)
mauvais(e)
permis(e)

- **Mot invariable**
ne ... plus
- **Manières de dire**
faire un régime
perdre (des kilos)
C'est bon, c'est mauvais
pour la ligne.
de temps en temps
Bisous
Bonne journée !
Voyons !

Écouter

- **Écoutez le dialogue entre Hugo et sa mère, page 40, et trouvez l'intrus.**
  a. pain – chocolat – alcool – confiture
  b. régime – perdre – dormir – grossir
  c. 18 heures – médicament – tomber – pharmacie
  d. PSG – footballeur – entraîneur – équipe de France

! Comprendre

- **Écoutez à nouveau le dialogue et répondez aux questions.**
  a. Pourquoi est-ce que Hugo veut arrêter de manger du pain avec du beurre et de la confiture au petit-déjeuner ?
  b. Est-ce que sa mère est d'accord ? Pourquoi ?
  c. Selon Hugo, qu'est-ce qui est bon pour garder la ligne ?
  d. Est-ce que la mère d'Hugo va écouter les conseils de son fils ?

Communiquer

Est-ce que vous avez déjà fait un régime ? Est-ce que vous avez arrêté de manger quelque chose (pain, gâteau, chocolat) ? Combien de temps est-ce que vous avez fait un régime ? Combien de kilos est-ce que vous avez perdus ? En groupes de trois ou quatre, racontez votre expérience.

Écrire

Votre ami(e) veut perdre du poids et vous demande des conseils. Répondez-lui en lui écrivant un e-mail de 6 à 7 lignes.

*Exemple : Tu **as** 3 kilos **à** perdre. Moi, par exemple, je **ne** mange **plus** de chocolat. **Pour** maigrir, il faut...*

Je prononce

1. *Six* et *dix* – Il y a trois prononciations possibles :

tout seul	→ [dis]	– Ils ont combien d'enfants ? – Beaucoup, neuf ou dix.
+ voyelle	→ [diz]	Mon fils a dix **a**ns.
+ consonne	→ [di]	Jessica a perdu **d**ix kilos.

Prononcez : Il y a dix ans, j'ai rencontré Anne. Elle était à Bordeaux depuis six mois.

2. L'intonation expressive – Écoutez et répétez :

Ah non, plus de gâteaux ! Fini, les gâteaux !   Ah non ! L'alcool, c'est fini !   Mais non, les médicaments, c'est dangereux !

J'APPRENDS ET JE M'ENTRAÎNE

Grammaire

- *dans* et *pendant*

  Rappel : *dans* + durée = moment dans le futur
  *J'ai rendez-vous **dans** deux heures.*

  ⚠️ **pendant + durée = intervalle entre deux moments**
  *Je dois faire un régime **pendant** un an.*

- **L'expression de l'obligation :** *avoir* + nom + *à* + infinitif
  *J'**ai** quelque chose **à** faire.*   *Tu **as** quelques kilos **à** perdre.*
  *Tu **as** un travail **à** finir.*   *J'**ai** une lettre **à** écrire.*

- **La phrase négative : *ne ... plus***   → Précis grammatical, page 145
  *Je **ne** bois **plus** de soda. (= Le soda, c'est fini !)*

- **L'expression du but (2) :** *pour* + nom – *pour* + infinitif
  C'est bon pour la santé. C'est mauvais pour la ligne !
  Pour maigrir, il faut arrêter de manger du pain.

1 J'ai perdu 14 kilos !

Lisez ces publicités et écoutez Sandra, Ophélie et Marco qui parlent de leurs régimes.

a. Quelles publicités correspondent à Sandra, Ophélie et Marco ?
Sandra   → publicité : ...
Ophélie   → publicité : ...
Marco   → publicité : ...

b. Quelles annonces insistent sur :
– l'esthétique, la beauté ? ...
– le sérieux, l'efficacité de l'annonce ? ...
– le nombre de kilos perdus ? ...
– la rapidité du régime ? ...

c. À votre avis, quelles sont les annonces les moins réalistes ?

....

d. Pourquoi *JE VEUX* est en lettres majuscules dans la publicité E ?

....

....

B.
> DÉCOUVREZ VOUS AUSSI LE RÉGIME
> QUI FAIT MAIGRIR LES STARS

C.
> Mme Viviane V., Toulouse :
> *« J'AI PERDU 5 KILOS EN UNE SEMAINE. »*
> **POURQUOI PAS VOUS ?**
> Contactez-nous
> **www.stopauxkilos.com**

D.
> Manger ce que vous voulez
> et maigrir en même temps ?
> Impossible ?
>
> Mais si ! C'est possible
> avec notre **régime
> Horloge Biologique !**
>
> **www.regimehb.com**

A.
> Perdre 10 kilos en quelques semaines ?
> C'est possible, c'est facile !
> Vu à la télévision, en vente dans toutes les bonnes pharmacies
> **www.orlipo.com**

E.
> L'été arrive, bientôt la plage !
> **Cet été, JE VEUX garder la ligne.**
> **Pour être sûr(e) de tout perdre
> et rencontrer des nouveaux amis**
> Numéro d'appel : 0800 880 2543

2 Quel est le contraire de… ?

a. maigre ≠ ....

b. grand ≠ ....

c. vieux ≠ ....

d. difficile ≠ ....

e. bon ≠ ....

f. interdit ≠ ....

3 *Pendant* ou *dans* ?

a. C'est merveilleux, mon copain arrive .... deux jours.

b. Il a travaillé .... quatre heures, de 9 h à 13 h.

c. Je l'ai vu souvent .... les dernières vacances.

d. Je suis fatigué. Le cours se termine .... combien de temps ?

e. Ils sont arrivés en France .... les vacances.

4 Les Français vus par les étrangers

Lisez ce texte et répondez aux questions.

Pour les étrangers, la France est un pays où les hommes sont romantiques et les femmes sont minces. Pour eux, la femme française ne grossit pas et elle mange de tout. Elle est belle, toujours bien habillée et ne fait jamais de régime. En France, une femme sur deux a fait un régime. Tous les étés, elles achètent un magazine « Spécial régime » car les Françaises, comme toutes les femmes, ne sont jamais contentes de leur ligne !
La femme française est une femme comme une autre.

a. Comment les Français sont vus par les étrangers ?

....

....

....

b. Est-ce que vous connaissez d'autres stéréotypes ou clichés sur les Français ?

....

....

c. Est-ce que vous êtes d'accord avec la dernière phrase du texte ? Pourquoi ?

....

....

....

Je suis allergique !

JE COMPRENDS ET JE COMMUNIQUE

FRUITS & LEGUMES BIOLOGIQUES
AGRICULTURE BIOLOGIQUE
Organic Agriculture

■ Au restaurant

Alors ? Vous avez choisi ?

> Voyons ! Qu'est-ce qu'on prend ? J'ai faim !
> J'ai envie d'une pizza aux quatre fromages. On en
> prend une pour deux, Aurélie ?

> C'est probablement du surgelé et, en plus, je suis
> allergique au fromage. Je vais prendre le poulet bio
> avec les épinards du jardin.

> Et moi, je vais prendre le menu salade et dessert,
> c'est mieux. Et en dessert, je prendrai la salade
> de fruits avec de la pomme, du melon, du kiwi,
> des bananes et de l'ananas.

C'est tout ?

> Oui, merci.

(Le serveur s'en va.)

> Tu es folle ! Tu manges de la nourriture bio ? C'est cher !
> Je n'en mange jamais !

> Mais, Candide, je n'ai pas le choix.

> Oh, ma pauvre ! Tu veux goûter ma salade, les fruits
> sont très sucrés.

> Non merci. Je suis aussi allergique aux kiwis. (...)
> Il faut que je parte, j'ai un rendez-vous. S'il vous plaît,
> ça fait combien ?

Vocabulaire

• Verbes
donner qqch à qqn
être allergique à qqch

• Noms
le choix
des épinards
un fromage, du fromage
un melon
la nourriture
une pizza
une pomme
un poulet, du poulet

• Adjectifs
bio/biologique
(Un aliment bio ou
biologique est un
aliment qui n'a pas été
traité chimiquement.)
fou, folle
sucré(e)
surgelé (un produit
surgelé)

• Mots invariables
jamais
mieux
probablement

• Manières de dire
Pas de problème !
Ça fait combien ? (pour
demander le compte
total, l'addition)
J'ai envie de (+ nom
ou infinitif)
Oh, ma pauvre Aurélie !
(ici « pauvre » n'est pas
le contraire de « riche »)
C'est tout ?

Écouter

• Écoutez le dialogue entre Candice et Aurélie, puis répondez en cochant *Vrai* ou *Faux*.

	Vrai	Faux
a. Candice veut une pizza dix fromages.	☐	☐
b. Aurélie mange de la nourriture bio.	☐	☐
c. Aurélie commande une salade de fruits.	☐	☐
d. Candice mange beaucoup de produits surgelés.	☐	☐
e. Candice est allergique à la nourriture bio.	☐	☐

! Comprendre

Cochez ce que Aurélie ne peut pas manger. Puis expliquez pourquoi.

a. ☐

d. ☐

Communiquer

**Vous êtes allergique au poisson.
Vous êtes invité(e) chez des amis.
Catastrophe, il y a du poisson.
Quelle solution est-ce que vous trouvez ?
En groupes de deux ou trois, jouez la scène.**

b. ☐

e. ☐

Écrire

Qu'est-ce que vous ne pouvez pas ou plus manger ? Pourquoi ?

*Exemple : **Je n'ai** pas mangé les cuisses de grenouilles. C'est psychologique, **je ne peux pas** en manger.*

....

....

c. ☐

Je prononce

• Les liaisons avec les nasales [õ] (on) et [ã] (en)
Écoutez et répétez :   On en a déjà à la maison.   On en a acheté hier.   – On en a encore ? – Non, on n'en a plus !
On en a beaucoup.   Non, on n'en a pas.   Elles vont en acheter demain.

J'APPRENDS ET JE M'ENTRAÎNE

Grammaire

• Le pronom COD « en » → Précis grammatical, page 148

• À quoi il sert ?

Comme tous les pronoms, il remplace un nom. Quels noms ?

1. des noms de personnes ou de choses précédés d'un article indéfini (*un, une, des*)

– *On prend* **une** *pizza.* – *Oui, on* **en** *prend* **une**.

2. des noms de personnes ou de choses précédés d'un article partitif (*du, de la, de l'*)

– *Vous voulez* **du** *pain ?*

– *J'***en** *veux bien (un peu)./Je n'***en** *veux pas.*

3. des noms précédés d'une quantité : *beaucoup de, un peu de, trop de...*

– *Tu as* **beaucoup de** *fruits !*

– *C'est vrai, j'***en** *ai* **beaucoup**, *j'***en** *ai* **trop** !

– *Mais non, je n'***en** *ai pas* **beaucoup**.

• On le met où ?

1. Si le verbe est à un temps simple et à un temps composé

→ sujet + *en* + verbe

– *Vous mangez souvent du poisson ?*

– *Oui, on* **en** *mange tous les jours.*

– *Tu as commandé une salade ?*

– *Oui, j'***en** *ai commandé une.*

2. Et à l'impératif ? À l'impératif affirmatif, tous les pronoms se mettent **après** le verbe ! « En » aussi !

– *Je prends des œufs ?*   – *Oui, prends-***en**.

                         – *Prends-***en** *une boîte.*

• La phrase négative (suite)

• ne ... jamais

Elle **ne** *mange* **jamais** *de gâteau pour garder la ligne.*

• Les comparatifs

bien → ~~*plus bien*~~ → **mieux**

Le Coca light, c'est bien, mais l'eau, **c'est mieux** !

---

1 Maman vient dîner.

Guillaume, Lucas et Emma sont frères et sœur et partagent un appartement. Ce soir, leur mère vient dîner chez eux. Écoutez le dialogue et répondez aux questions par *Vrai, Faux* ou *On ne sait pas*.

	Vrai	Faux	On ne sait pas
a. Guillaume appelle Lucas.	☐	☐	☐
b. Guillaume fait un dessert.	☐	☐	☐
c. Lucas n'a pas acheté d'œufs la semaine dernière.	☐	☐	☐
d. Ils vont tous à la gym.	☐	☐	☐
e. Ils sont tous étudiants.	☐	☐	☐
f. Guillaume va acheter des œufs, du chocolat et du sucre.	☐	☐	☐

Complétez maintenant la recette de la mousse au chocolat.

Recette de la mousse au chocolat

Ingrédients :
– 3 ....
– .... g chocolat (noir ou au lait)
– 20 g de ....

Préparation :
• D'abord, faites fondre le chocolat.
• Ensuite, mélangez le chocolat avec le beurre, puis avec le jaune des œufs.
• Battez le blanc des œufs.
• Enfin, mélangez le tout.
• Mettez au frais une heure ou deux minimum.

2 Connaissez-vous une bonne recette ?

Écrivez votre recette en utilisant *d'abord, ensuite, puis, enfin...* Utilisez l'impératif pour les verbes *faites, mélangez...*

3 Avant de partir en vacances, Tom fait sa valise.

Tom ! Tu as pensé à tout ? Complétez.

a. Ton maillot de bain ? – Oui, j'**en** ai **quatre** !

b. Tes médicaments ? – ....

c. Ton guide de voyage ? – ....

d. Tes lunettes de soleil ? – ....

e. De la crème solaire ? – ....

f. Des livres ? – ....

4 Répondez aux questions.

Pour cela, remettez les mots dans le bon ordre.

a. – Elles ont acheté des gâteaux ?

Non – pas – en – n' – achetés – elles – ont

→ – ....

b. – Vous voulez commander des livres sur Internet ?

Oui – voudrais – en – trois ou quatre – je – commander

→ – ....

c. – Elle a invité beaucoup de copains pour son anniversaire ?

Oui – beaucoup – invités – en – elle – a

→ – ....

5 Ne... pas, ne... jamais, ne... plus.

Posez la question qui convient à chaque réponse.

a. – Non, je n'en mange plus, je fais un régime.

b. – Non merci, je n'en bois jamais !

c. – Non merci, je n'aime pas beaucoup ça.

d. – Non, je ne l'ai jamais rencontré.

e. – Non, je ne t'aime plus ! C'est fini !

6 Avoir un bon équilibre alimentaire

Lisez le document. Certaines règles ne sont pas correctes. Lesquelles ?

Les 10 règles d'or pour un bon équilibre alimentaire

- ■ Faites trois vrais repas équilibrés par jour.
- ■ Le petit-déjeuner doit être un repas complet.
- ✗ ■ Buvez de l'alcool à chaque repas.
- ■ Mangez de tout mais en petites quantités. Au minimum, un repas contient : viande ou poisson ou œuf, légumes crus et cuits, fruits, céréales, produits laitiers.
- ✗ ■ Mangez des surgelés.
- ✗ ■ Prenez vos repas devant la télévision, avec votre téléphone à côté de vous.
- ■ Il faut équilibrer les glucides, les lipides, les protéines.
- ■ Mangez plus si vous avez une activité physique ; mangez moins si vous n'en avez pas.
- ■ Mangez quand vous avez faim, et non simplement pour vous occuper.
- ■ Marchez, nagez, courez... faites du sport.

Et aussi... Buvez beaucoup d'eau mais pas plus de deux verres de vin par jour !

7 Quelques conseils...

Vous êtes docteur et votre patient vous demande comment perdre du poids. Vous lui demandez d'abord ce qu'il/elle mange puis vous lui donnez des règles pour avoir un bon équilibre alimentaire. À deux, jouez la scène.

Prudence sur les routes !

Je comprends et je communique

■ Flash info

Il est 13 heures. Bonjour à tous et à toutes.

Ça y est, c'est le premier week-end des départs en vacances. On attend plusieurs millions de voitures sur les routes. Voici des conseils pour votre voyage.

Avant le départ, d'abord, prudence ! Est-ce que votre voiture est en bon état ? Depuis 2008, le triangle de signalisation et le gilet de sécurité sont obligatoires : pensez à les avoir toujours dans votre voiture.

Pendant le voyage, tout le monde doit avoir sa ceinture attachée. Il est aussi interdit d'avoir un téléphone à la main quand vous conduisez. Laissez-le sonner, vous avez besoin de vos deux mains pour conduire ! Si vous avez faim ou soif, prenez le temps de vous arrêter.

On annonce un temps magnifique pour ce week-end, toute l'équipe du journal de 13 heures vous souhaite une bonne route et de bonnes vacances !

Vocabulaire

• Verbes
annoncer
attendre
s'arrêter
attacher
conduire
penser à faire quelque chose
sonner

• Noms
une ceinture
un conseil
le départ
la faim
un gilet de sécurité
une main
un million
une route
la soif
un triangle de signalisation

• Adjectif
obligatoire

• Mots invariables
plusieurs
toujours

• Manières de dire
avoir besoin de
(+ nom ou infinitif)
avoir faim, avoir soif
Bonne route !
Bonnes vacances !
Ça y est !
être en bon état, en mauvais état
Prudence !
Prendre la route
Prendre le temps de faire quelque chose

Écouter

• Écoutez le flash info, page 48, et cochez Vrai, Faux ou On ne sait pas.

	Vrai	Faux	On ne sait pas
a. C'est l'été, c'est le premier week-end des vacances.	☐	☐	☐
b. On attend plusieurs milliers de voitures sur les routes.	☐	☐	☐
c. Avant le départ, il faut faire vérifier sa voiture.	☐	☐	☐
d. On peut avoir le gilet de sécurité et ne pas avoir le triangle de signalisation.	☐	☐	☐
e. Les enfants ne sont pas obligés d'attacher leur ceinture de sécurité.	☐	☐	☐

! Comprendre

C'est jaune, c'est moche, ça ne va avec rien, mais ça peut vous sauver la vie.

Gilet et triangle deviennent obligatoires dans chaque véhicule. Équipez-vous dès maintenant.
www.securite-routiere.gouv.fr

SÉCURITÉ ROUTIÈRE
TOUS RESPONSABLES

a. Observez l'affiche. Il s'agit d'une publicité :
  ☐ pour des lunettes ?
  ☐ de prévention routière ?
  ☐ pour Karl Lagerfeld ?
b. Écoutez le flash info et notez quatre mots qui figurent aussi sur l'affiche.

....

c. Qu'est-ce que veut dire *C'est jaune, c'est moche, ça ne va avec rien* ?
  ☐ La couleur jaune n'est pas très jolie, mais cela change du noir !
  ☐ Le jaune n'est pas une belle couleur, personne ne l'aime.
  ☐ Mon gilet de sécurité est jaune, ce n'est pas beau, je ne sais pas quoi porter avec.
d. Relisez la phrase de l'affiche. D'après vous, quel est le message de la publicité ?

Communiquer

**Vous êtes journaliste
(dans le sport, la culture
ou la politique internationale).
À deux ou trois, présentez
votre reportage à la classe.**

Écrire

**C'est le premier week-end des départs
en vacances. Où allez-vous ?
Quel moyen de transport est-ce que
vous avez choisi ? Pourquoi ?**

Je prononce

• Rythme
Écoutez et répétez :
Si vous êtes fatigué, arrêtez-vous.
Si vous avez faim, mangez un fruit.
Si vous avez soif, buvez de l'eau.

J'APPRENDS ET JE M'ENTRAÎNE

Grammaire

- **L'expression de la demande, de l'ordre, de l'obligation**
  - *il faut + infinitif*   *Il faut attacher votre ceinture.*
  - *devoir*   *Vous devez vous arrêter toutes les deux heures.*
  - *l'impératif*   *Pensez à avoir votre gilet de sécurité.*
  - *obligatoire*   *La ceinture de sécurité est obligatoire.*

- **L'expression de l'interdiction**
  - *il ne faut pas + infinitif*   *Il ne faut pas répondre au téléphone.*
  - *ne pas devoir*   *Tu ne dois pas arriver en retard.*
  - *ne pas pouvoir*   *Vous ne pouvez pas prendre un sens interdit !*
  - *l'impératif négatif*   *Ne répondez pas au téléphone.*
  - *l'infinitif négatif*   *Ne pas oublier d'attacher sa ceinture de sécurité.*
  - *interdit, défendu*   *Il est interdit d'avoir un téléphone à la main.*
  - **Interdiction de... Défense de...**   *Interdiction de tourner à droite – Défense de fumer*

- **Avoir besoin de... + nom ou infinitif** – Exprime la nécessité :
  - *– Vous avez besoin **de vos deux mains** pour conduire. – Oui, j'**en** ai vraiment besoin.*
  - *– Vous avez besoin **de manger ou de boire** ? – Oui, nous **en** avons vraiment besoin.*
  - **Observez** : ici, *en* remplace un nom ou un verbe.

- **Les phrases hypothétiques :** *Si...*
  - **Si** *votre téléphone sonne, ne répondez pas !*

1 Mille, millier, million ou milliard ?

Écoutez et complétez avec le nombre qui convient.

a. .... emplois   **b.** .... habitants   **c.** .... d'euros

d. .... spectateurs   **e.** .... d'euros de profits

2 En bateau, en voiture ou à moto ?

Écoutez les témoignages et notez à quelle situation correspond chaque photo.

a. ....   **b.** ....   **c.** ....

3 Passez votre code !

Que signifie chaque panneau ? Répondez en utilisant l'impératif.

a. .... b. .... c. .... d. .... e. .... f. ....

4 Donner un ordre ou interdire ?

Classez les expressions suivantes selon qu'il s'agit d'un ordre, d'une obligation ou d'une interdiction.

a. Il faut porter un casque à moto.

b. Défense de fumer dans l'avion.

c. Pour venir au concert, il faut acheter un billet.

d. Tu dois faire le code C5442 pour entrer dans mon bureau.

e. Le gilet de sécurité est obligatoire.

f. Interdiction de prendre en photo les œuvres d'art.

g. Stationnement interdit.

h. Attachez votre ceinture.

5 Complétez.

Utilisez les verbes à l'impératif : *acheter – venir – faire – se dépêcher – manger – partir – visiter*

a. .... au Salon du Chocolat, ... ! Aujourd'hui, c'est le dernier jour.

b. .... au soleil : .... la Réunion !

c. .... du sport : .... les chaussures Bibok !

d. .... les produits Leroux. C'est bon et ce n'est pas cher !

6 Slogan publicitaire

Trouvez le meilleur slogan pour chaque produit. Utilisez l'impératif.

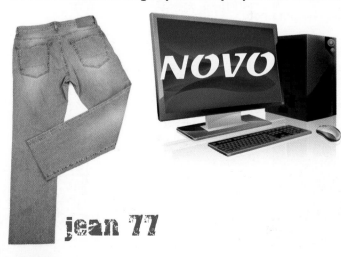

Vive les transports
en commun !

Des transports en commun de qualité et respectueux de l'environnement

En France : le TGV
Le TGV est un train à grande vitesse qui peut rouler jusqu'à 320 km/h. Son record de vitesse a été établi en 2007 avec 574,8 km/h.

Le réseau de lignes à grande vitesse en France (2037 km de lignes) est le quatrième au monde après ceux de la Chine (6000 km de lignes), du Japon (3000 km de lignes) et de l'Espagne (3500 km).

Civilisation

■ Les transports en commun en France : *Vrai* ou *Faux* ? Vérifiez sur Internet.

Le métropolitain est un chemin de fer urbain ?	❏ Vrai	❏ Faux
20 villes françaises ont un tramway ?	❏ Vrai	❏ Faux
Le RER. signifie : Réseau Électrique Rapide ?	❏ Vrai	❏ Faux
Les bateaux-bus naviguent à Paris sur la Seine ?	❏ Vrai	❏ Faux

■ Qu'est-ce que vous pensez des moyens de transports en commun en ville ? Cochez.

	le bus	le tramway	le métro
le plus agréable			
le plus rapide			
le plus pratique			

En Belgique : le train solaire ou train vert

En Belgique, un train à grande vitesse passe sous un tunnel de 3,5 km. Le toit de ce tunnel est recouvert de 16 000 panneaux solaires.

Ce tunnel va permettre de faire circuler 4000 trains à l'énergie solaire par an sur 25 kilomètres.

■ Qu'est-ce que vous pensez de ce train solaire ?

En Suisse : le CarPostal

L'entreprise CarPostal Suisse SA est le numéro un des transports publics suisses. Les cars roulent au gaz naturel pour respecter l'environnement. Ils font partie de l'identité culturelle de la Suisse.

> Quand je monte dans un CarPostal, je sais que je vais passer un bon moment... Le car démarre, je suis confortablement installé, je peux regarder les montagnes autour de moi. Je me sens en sécurité...

Compréhension orale

1 Écoutez et cochez les phrases qui correspondent au texte.

a. ☐ Marie habite sur la Côte d'Azur, à Nice.
b. ☐ Elle part en vacances trois semaines.
c. ☐ Elle emmène le chien en vacances mais pas les chats. Ils restent à la maison.
d. ☐ Le voyage est difficile surtout pour le chien parce qu'il est très vieux.
e. ☐ Le plus petit des enfants s'appelle Ben, il a quatre ans.
f. ☐ Marie fait une pause toutes les deux heures.

2 Écoutez, lisez et corrigez les erreurs du texte. Il y en a cinq.

Le musée du Quai-Branly est le musée des arts et civilisations d'Afrique, d'Asie, d'Océanie et d'Amérique. Il est juste à côté de la tour Eiffel. C'est l'ancien président de l'Assemblée nationale qui a eu l'idée de faire construire ce musée et c'est le célèbre architecte Jean Nouvel qui l'a réalisé. Il a été inauguré le 15 juin 2001.
Autour du musée, il y a un jardin sauvage de 18 000 m² très romantique, avec des petits chemins, de l'eau, des oiseaux... et un bel hôtel particulier. La façade du bâtiment, très originale, est entièrement végétale.
À l'intérieur, une longue rampe conduit les visiteurs à la grande galerie. Cette galerie mesure 200 mètres ; c'est un immense espace ouvert avec de nombreuses salles sur les côtés. Au-dessus de la grande galerie, trois mezzanines sont consacrées aux conférences.
Au rez-de-chaussée et en sous-sol, il y a un auditorium, des salles de cours, une bibliothèque, un espace pour des expositions temporaires et une grande salle de sport.

Grammaire

3 Reliez la question et la réponse.

a. Tu vas partir quand en vacances ? •
b. Tu connais la Corse ? •
c. Tu vas rester longtemps en Irlande ? •
d. C'est une vieille amie à toi, non ? •
e. Le musée est fermé aujourd'hui ? •

• **1.** Non, juste une semaine.
• **2.** Oui, on se connaît depuis vingt ans.
• **3.** Pas tout de suite. Dans trois ou quatre jours.
• **4.** Oui, comme tous les mardis !
• **5.** Oui, j'y suis allé l'été dernier. C'est superbe !

4 On parle de qui ou de quoi ? Cochez la bonne réponse.

a. Il les connaît depuis dix ans.   ☐ Élisabeth   ☐ les Dumont   ☐ la Corse
b. J'en voudrais une douzaine, s'il vous plaît.   ☐ des œufs   ☐ les œufs   ☐ du pain
c. Je leur ai téléphoné hier soir.   ☐ ma copine   ☐ chez moi   ☐ mes frères
d. Tu vas en chercher ?   ☐ le journal   ☐ du travail   ☐ ta fille
e. Oui, j'en ai acheté une.   ☐ une voiture   ☐ des légumes   ☐ de la farine

5 **Dites le contraire, comme dans l'exemple. À vous de choisir l'une des formes de l'interdiction.**

Exemple : Sortez → Ne sortez pas / Je vous défends de sortir / Interdiction de sortir / Défense de sortir / Vous ne devez pas sortir...

a. Tournez à gauche → ....

b. Les chiens sont acceptés dans cet hôtel → ....

c. Stationnement autorisé de 8 h à 15 h → ....

d. Possibilité de payer par chèque → ....

e. Camions : sortie obligatoire à 300 m → ....

Vocabulaire

6 **Chassez l'intrus.**

a. beau – blanc – bon – magnifique – merveilleux – superbe
b. célibataire – dangereux – défendu – impossible – interdit – mauvais
c. le billet – le départ – la place – la santé – le train – le voyage

Compréhension et expression écrites

7 **Lisez et répondez aux questions.**

a. Pourquoi le musée du thé est-il un bon exemple de musée original en France ?

....

b. À votre avis, ce texte s'adresse à qui ? Justifiez votre réponse.

....

c. Dans votre culture, est-ce que le thé joue un rôle important ?

....

Quand on pense aux musées parisiens, on pense tout de suite au Louvre, au musée d'Orsay, au Centre Pompidou... Mais il y a beaucoup de petits musées bien moins connus et très originaux. Par exemple, visitez donc le Musée du thé au premier étage de la célèbre boutique Mariage Frères. Ce petit musée est entièrement consacré à cette boisson. Vous saurez tout sur le thé, sa culture, ses différentes variétés, comment on le consomme dans d'autres pays, les rites souvent associés au « divin breuvage »... Il y a de nombreux objets très anciens et très évocateurs, le plus souvent des souvenirs de cette famille qui faisait déjà le commerce du thé et des épices au XVIIe siècle et qui s'est installée à Paris vers 1850 : des boîtes à thé, bien sûr, mais aussi des balances, des théières venues des quatre coins du monde, des passe-thé...

Expression écrite

8 **Avec les huit mots ou expressions suivants, rédigez un texte de 50 mots (+/– 10 %).**

un arbre – un conseil – un jardin – ouvert(e) – le printemps – une statue – superbe – de temps en temps

9 **Il y a dans votre ville un endroit que vous aimez beaucoup et peu connu par les touristes. Décrivez-le et expliquez pourquoi il mérite une visite.**

Bilan actionnel

Évaluez-vous

1 Complétez avec les bons superlatifs (attention aux accords).

Il a visité le *plus beau* (beau) musée de la capitale. Il a vu les toiles (connu) ....
des artistes du siècle dernier, mais aussi les sculptures (grand) ....
jamais réalisées. Les (joli) .... tableaux se trouvaient à l'étage. La visite
s'est poursuivie dans une salle réservée aux vêtements (intéressant) ....
de cette époque, réalisés avec les (beau) .... tissus que l'on puisse trouver.
C'est vraiment la (bon) .... découverte de la semaine !

Je suis capable d'utiliser des superlatifs : ❏ oui, ❏ pas encore.

2 Répondez aux questions.

a. Cochez si le verbe exprime l'interdiction, l'obligation, la possibilité.

	Interdiction	Obligation	Possibilité
1. J'ai un train à prendre.			
2. Il faut arriver à l'heure.			
3. Ne répondez pas au téléphone.			
4. Il ne doit pas faire ce régime.			
5. Le musée doit être ouvert.			

b. Faites des phrases pour chacune de ces illustrations.

Je suis capable de formuler une obligation ou une interdiction : ❏ oui, ❏ pas encore.

Action

Répondez aux internautes.

Seul ou en petit groupe, choisissez un message et rédigez une réponse avec des interdictions et des obligations.

> Je pars au ski demain. Il y aura beaucoup de monde sur les routes. Est-ce que vous pouvez me conseiller un itinéraire ?

> Ma fille utilise mon ordinateur quand je ne suis pas là. Est-ce que je dois lui interdire ?

Je cherche,
je trouve

UNITÉ 3

Appartement à louer

Je comprends et je communique

Dans une agence immobilière

Bonjour Mesdames, est-ce que quelqu'un s'occupe de vous ?

Non, personne. Je cherche un appartement pour ma fille. Nous avons vu vos annonces dans le journal.

Ici, à l'agence ImmoPlus, vous trouverez facilement des appartements et des studios à louer. Asseyez-vous ! Quelles annonces vous intéressent ?

L'appartement au centre-ville, dans quartier animé, avec un salon plus chambre, une cuisine, une salle de bains. Ça a l'air super !

Celui-là ? Non, il y aura du bruit dans un quartier animé . Et puis, c'est au 5e étage sans ascenseur.

Vous avez raison, il n'y a pas d'ascenseur. Je vous propose un charmant deux-pièces avec une cuisine américaine, une salle d'eau, au rez-de-chaussée sur rue, dans un quartier très calme !

Au rez-de-chaussée sur rue ! Non merci ! Ça sera sombre et tout le monde regardera dans ma chambre ! Et « charmant », en général, ça veut dire minuscule. Non, je préfère l'appartement à 1 200 euros. Le deux-pièces, au 6e étage avec cuisine séparée, salle de bains, ascenseur et salle de gym. Celui-là m'intéresse !

Du calme ! Le studio au 4e étage, 45 m^2, avec salle d'eau, petite cuisine et ascenseur à 780 euros. Celui-là est parfait pour toi ! Tu es trop difficile !

Je prononce

- **Les sons [s], [ʃ], [ʒ]**
Écoutez et répétez :
C'est joli.
C'est au cinquième étage à gauche.
C'est charmant.
Chez Sonia, il y a un ascenseur ?
C'est un charmant studio.
Non ! C'est au dernier étage, au septième !
Et sans ascenseur !

Vocabulaire

• Verbes
s'occuper de

• Noms
une annonce (une petite annonce)
un appartement (un appart')
un arrondissement
un ascenseur
un bruit, du bruit
un deux-pièces
un étage
un mètre carré (m²)
un quartier
un rez-de-chaussée
une salle d'eau
un studio
un trois-pièces,
Les pièces de la maison : une salle de bains,
une chambre, des toilettes, une cuisine,
une salle de séjour, un balcon

• Adjectifs
animé(e)
calme
charmant(e)
minuscule
séparé(e)
sombre

• Manières de dire
Ça a l'air... + adjectif/ adverbe (= Ça paraît, ça semble...)
Ça m'intéresse.
Ça veut dire que... (= Ça signifie que...)
un centre-ville
une cuisine américaine, une cuisine séparée
Tu es difficile !
Du calme !

Écouter

Écoutez le dialogue, page 58.
Lisez les quatre annonces
et corrigez les erreurs qui
se sont glissées.

Grand studio 84 m², 6e étage,
cuisine américaine, salle de
bains, avec ascenseur, balcon,
salle de gym – **900 euros**

Centre-ville, quartier
tranquille, 2 pièces, cuisine,
salle de bains, 6e étage
41 m², 890 euros

Appartement dans un petit
château ancien, salle de bains,
petite cuisine, vue sur le grand
parc – **45 m², 780 euros**

Grand deux-pièces, cuisine
américaine, salle de bains,
rez-de-chaussée sur rue, quartier
très calme – **78 m², 900 euros**

Communiquer

Finalement, Marie et sa mère n'ont pas loué d'appartement.
Un couple est ensuite entré dans l'agence. À trois, jouez la scène
entre l'agent immobilier et le couple.

Écrire

Où aimerez-vous vivre dans 30 ans ? Dans un quartier animé ou tranquille ?
Dans une maison ? Un appartement ? Au bord de la mer ? À la montagne ?

J'APPRENDS ET JE M'ENTRAÎNE

Grammaire

- **Le futur simple**
  - **Sa forme :** la terminaison est en **-rai, -ras, -ra, -rons, -rez, -ront**
  - Verbes réguliers en **-er** et verbes qui se conjuguent comme *finir, choisir*
    - → infinitif + **-ai, -as, -a, -ons, -ez, -ont**
    - → *je fini**rai**, tu fini**ras**, il fini**ra**, nous fini**rons**, vous fini**rez**, ils fini**ront***
  - Pour les autres verbes, attention, ils sont irréguliers ! (**être** : *je serai, tu seras, il sera, nous serons, vous serez, ils seront*; **avoir** : *j'aurai, tu auras, il aura, nous aurons, vous aurez, ils auront*). Regardez dans le tableau de conjugaisons à la fin du livre.
  - **Son emploi :** l'événement ou l'action sont dans le futur.

- **Futur simple ou futur proche ?** Observez :
  - *Ils **auront** une belle vue.* (quand ? on ne sait pas exactement)
  - *Ils **vont avoir** un bébé en décembre.* (c'est déjà « en route », c'est déjà « dans la réalité »)
  - *J'**appellerai** plus tard.* (quand ? on ne sait pas exactement)
  - *Je **vais appeler** pour l'appartement.* (tout de suite ; c'est déjà dans le présent)

- **Les pronoms démonstratifs (2) :**
  celui-là, celle-là – ceux-là, celles-là
  - *Tu préfères quel appartement ? Celui-ci ou celui-là ?*

  Remarque : On doit utiliser « celui-ci » pour quelque chose de plus proche que « celui-là ».

1 Annonces immobilières !

À LOUER **place de la République**	À LOUER **rue du Jardin public**	À LOUER *près de la Basilique*
3 pièces, salle de bains, WC séparé, cuisine américaine Très clair – 5ᵉ ét. asc. 1 830 €	superbe 3 pièces, très clair, au 6ᵉ étage S de B, cuisine moderne 1 850 €	joli petit trois pièces tout confort, salle de bains, grande cuisine très claire 3ᵉ ét. asc. – 1 690 €
A	**B**	**C**

a. Ces offres vous intéressent. Choisissez-en une. Discutez de votre choix avec votre voisin(e).
b. Écoutez et dites de quel appartement on parle.

2 Questionnaire immobilier

ImmoPlus vous propose un questionnaire pour vous aider à trouver le logement de vos rêves. Cochez.

ImmoPlus

Nom : .... Prénom : ....

Profession : ....

Vous souhaitez : ☐ acheter ☐ louer

Vous recherchez : ☐ un studio ☐ un appartement ☐ une maison

Combien de personnes serez-vous dans le logement ? ☐ adultes ☐ enfants

Vous avez des animaux ? ☐ chien ☐ chat ☐ autre

Vous voulez habiter : ☐ au centre-ville ☐ loin du centre-ville.

Vous souhaitez que votre logement se situe près :

☐ de votre travail   ☐ des écoles   ☐ des commerces

☐ des transports en commun   ☐ d'un parc, d'un jardin public

Cochez ce que vous recherchez :

Nombre de chambres : 1 ☐ 2 ☐ 3 ☐ 4 ☐

Salle de séjour et cuisine séparées : oui ☐ non ☐

Salle de douche ☐   Un balcon ☐

Salle de bains ☐   Un jardin ☐

WC séparés ☐   Un parking ☐

Un ascenseur ☐

3 Mots cachés

**Complétez la grille avec les mots
d'une agence immobilière.**

4 Avoir l'air...

**Complétez avec : *tu as l'air..., ça a l'air..., elle a l'air...,
il a eu l'air.***

a. Tania a très mal dormi. .... fatigué(e) aujourd'hui.

b. Comment s'est passé ton examen ? Bien, n'est-ce pas ? ....
content(e) !

c. On va voir ce film ? .... bien !

d. Hier soir, quand je lui ai annoncé la nouvelle, ... très surpris.

5 Conseils d'ami !

**Votre ami vient d'acheter un studio et vous décrit
les travaux qu'il va faire.
Vous notez les cinq plus importants.**

Exemple : Je repeindrai la salle de bains en bleu.

1. ....

2. ....

3. ....

4. ....

5. ....

6 En 2050

Observez et décrivez les images. Utilisez le futur.

Vive les soldes !

JE COMPRENDS ET JE COMMUNIQUE

Tu viens avec moi ?

Chaque année, deux fois par an, il y a des soldes. En été et en hiver. Tout le monde veut faire de bonnes affaires, surtout en période de crise économique.

(Mardi soir)

Les soldes commencent demain, j'ai besoin de mille choses, des nouvelles sandales, un nouveau maillot de bain, mais surtout d'une nouvelle robe... On va faire les magasins ? Je n'ai pas envie d'y aller seule... Tu viens avec moi ?

Le premier jour des soldes, il y a un monde fou ! Pourquoi tu n'achètes pas sur Internet ?

Sur Internet ? Ah non !

(Mercredi matin)

On ne va pas rester longtemps. Je sais exactement quoi acheter. Oh, regarde ce maillot à moins 50 % !

Lequel ? Le deux-pièces noir et blanc ?

Non, celui-là, le bleu !

Tu vas ressembler à ma petite sœur de douze ans. Le sien est exactement pareil.

Et le maillot qui est au fond là, le bleu–blanc–rouge, en taille 38. Est-ce que celui-là, il te plaît ?

Tu veux dire « bleu–blanc–rouge » comme les couleurs du drapeau ?

D'accord, j'ai compris, on s'en va ! (...) Oh, attends, ces sandales sont magnifiques ! Excusez-moi Mademoiselle, elles coûtent combien ?

290 euros soldées à 170.

Euh...

Ce sont des Jimmy Chi ! J'ai acheté les miennes au début de la saison. Vous voulez les essayer ? Quelle est votre pointure ?

Oui... euh... non... euh, enfin, je vais réfléchir. Merci.

Je prononce

• Le rythme du français parlé
Écoutez et répétez :
Si vous voulez, vous pouvez... euh...
Le prix pour quinze jours..., alors, le prix, c'est 1 600 euros.
Ça m'intéresse mais euh... vous ne dites rien sur la taille...

Vocabulaire

• Verbes
coûter
plaire à qqn
ressembler à qqn ou à qqch

• Noms
une chose
un drapeau
un maillot de bain
une pointure (pour les chaussures)
des sandales
les soldes (m. pl.)
une taille (pour les vêtements)
un vendeur, une vendeuse

• Pronoms
le mien, la mienne (pronom possessif)
lequel, laquelle, lesquels, lesquelles (pronom interrogatif)

• Adjectifs
pareil, pareille

• Mots invariables
au fond
exactement
surtout

• Manières de dire
un maillot une-pièce, deux-pièces
Il y a un monde fou. (= beaucoup de monde)
Quoi encore ?
faire les magasins

Écouter

• Écoutez le dialogue, page 62, et répondez aux questions.

a. Est-ce que Samira a vraiment besoin d'acheter de nouveaux vêtements ?
b. Pourquoi Matthieu n'a pas très envie de faire les soldes ?
c. À quoi Matthieu pense avec les couleurs bleu blanc rouge ?
d. Les sandales coûtent combien ?
e. Avant les soldes, les sandales coûtaient combien ?
f. Pensez-vous que Samira va les acheter ?

! Comprendre

• Les Européens répondent à la question : pour quel produit le moment des soldes est assez important ou très important ? Observez et commentez le schéma suivant.

	Assez important	Très important	Total
L'habillement, la mode	41	24	**65 %**
Les appareils électroménagers	31	11	42 %
Le matériel électronique	29	11	40 %
Le mobilier d'intérieur (TV / Hifi / Vidéo)	27	10	37 %
Les équipements de sport / de loisirs	27	9	36 %
Les bijoux, la joaillerie	10	3	13 %

☐ Assez important ■ Très important

Écrire

Un magasin a invité une célébrité pour fêter le premier jour des soldes. Vous êtes journaliste et écrivez un article de quatre à cinq lignes sur cette première journée.

Communiquer

Pendant les soldes, est-ce que vous allez faire les magasins ? Est-ce que vous achetez plutôt par plaisir avant les soldes ou vous préférez attendre les bonnes affaires pendant les soldes ? Discutez en groupes de trois ou quatre.

J'APPRENDS ET JE M'ENTRAÎNE

Grammaire

- **Les pronoms possessifs (1)** → Précis grammatical, page 148
  le mien, la mienne, le tien, la tienne, le sien, la sienne
  – Tu aimes bien ces sandales noires ?
  – Oui, elles ressemblent **aux miennes**.
  – Mais non, **les tiennes** sont très différentes !
- **Les pronoms relatifs** *qui* **et** *que* → Précis grammatical, page 148
  Ils peuvent représenter quelque chose d'animé (une personne, un animal) ou de non animé.
- **Le pronom** *qui* **est sujet :**
  Regarde le maillot **qui** est là, à gauche.
- **Le pronom** *que* **est objet :**
  C'est ce maillot **que** je veux.

TOUT

DOIT

DISPARAITRE

---

1 Bienvenue dans notre magasin !

Écoutez et complétez le texte.

.... au magasin *Galerie Bonpoint,* nous sommes très contents
de vous .... aujourd'hui sur les .... de notre magasin.
Au rez-de-chaussée, les .... *Pablo* offre ....de remise
sur les montres, au .... étage celui de la mode, ...
sur les pulls *Froid des Vosges* pour terminer l'hiver. Attention, je ne sais si à la fin
de la journée, il y aura encore des .... disponibles... Au deuxième
étage, celui du ...., il y a .... sur toutes les
télévisions, ... sur les radios et au .... étage celui
du sport, ..., oui, vous avez bien entendu, ...sur toutes
les .... *Energie*, dépêchez-vous et demandez votre .... !
Zoé, ma collègue me dit que les .... *Pablo* se trouvent au dernier
étage et non au rez-de-chaussée. Merci Zoé pour cette information.

2 *Qui, que* ou *qu'*

Complétez les phrases suivantes.

a. Vous connaissez les musiciens .... jouent ce soir ?

b. Oui, le batteur est un copain .... j'ai rencontré au Festival
de Cannes l'an dernier.

c. Et le guitariste est un ami à lui .... vient de Cannes aussi.

d. Qu'est-ce que tu penses du pantalon blanc ....
il avait hier au cocktail ?

e. Pas mal ! C'est le pantalon .... Pierre t'a offert pour ton
anniversaire, non ?

f. Mais non ! C'est moi .... l'ai acheté. Le cadeau de Pierre,
c'était cette robe verte, tu sais, cette horrible chose .... je n'ai
jamais voulu mettre.

---

3 Quelle est votre pointure ?

Remettez ce dialogue dans l'ordre.

a. Oui, bien sûr !

b. Très bien, asseyez-vous. J'arrive.

c. 110 euros soldées à 80 euros. Voulez-vous
les acheter ?

d. Oui, est-ce que je peux payer en carte bleue ?

e. Alors ? Elles vous plaisent ? Est-ce que la
pointure est bonne ?

f. Les noires et blanches ou les rouges ?

g. Bonjour, je voudrais essayer ces baskets.

h. Quelle est votre pointure ?

i. Elles sont trop petites, est-ce que je peux
avoir la pointure au-dessus ?

j. Oui, c'est mieux ! Elles coûtent combien ?

k. 38

l. Les rouges, s'il vous plaît.

m. Comment vous vous sentez avec
celles-ci ?

Ordre : g, ...

4 On va faire les soldes !

Vous n'avez plus rien à vous mettre et décidez d'aller faire les soldes avec un(e) ami(e). À trois, imaginez et jouez la scène dans un magasin. Aidez-vous du dialogue de l'exercice 3 page 64, et des objets ci-dessous.

5 À la recherche de nouveaux clients

Vous êtes propriétaire d'un magasin. Depuis quelques mois, les clients ne viennent plus. À l'occasion des soldes, vous voulez créer un événement qui va faire parler de vous et attirer de nouveaux clients. En groupes, réfléchissez à votre projet et présentez-le à la classe.

Par exemple, en janvier 2011, une marque espagnole a habillé gratuitement les cent premiers clients entrés en sous-vêtements dans le magasin...

6 Le e-commerce !

Lisez le texte suivant et répondez aux questions.

L'AVENIR EST-IL À INTERNET ?

Dès 2008, les ventes sur Internet ont augmenté dans l'habillement, les chaussures et l'électronique. Acheter sur Internet est simple et pratique. Nous pouvons de chez nous faire des achats sans stress devant notre ordinateur. En France, les ventes en ligne ont augmenté de 11 % depuis le premier semestre 2012. On parle de « e-commerce » ou de commerce électronique qui se développe aujourd'hui de plus en plus avec la possibilité d'achat sur smartphone ou sur tablette numérique.

a. Est-ce que vous avez déjà acheté sur Internet ?

b. Si oui, qu'est-ce que vous avez acheté ? Pourquoi vous n'avez pas fait votre achat dans un magasin ?

c. Si non, pourquoi est-ce que vous continuez à faire vos achats dans les magasins ?

d. Est-ce que votre dernier achat était un achat « plaisir » ou une bonne affaire ?

e. À votre avis, comment est-ce que nous ferons nos achats en 2080 ?

Pendant les vacances, on bouge !

JE COMPRENDS ET JE COMMUNIQUE

Sète

▮ Dans l'hôtel-club Méditerranée 🔘

Bonjour, je suis Chris, votre animateur pour toute la semaine. Alors, vous avez regardé nos excursions ? Vous avez trouvé votre bonheur ? Qu'est-ce qui vous intéresse ?

Moi, j'aimerais voir la campagne, visiter des villages pittoresques, bouger...

Eh bien, justement, mercredi matin, nous proposons la visite d'un très vieux village en pleine campagne. L'endroit est très sauvage, vraiment superbe !

Moi, je préfère la mer. Je voudrais faire la mini-croisière. C'est quel jour ?

Le vendredi. Départ à 8h. La croisière dure toute la journée. On vous laisse deux heures pour vous baigner ou rester sur la plage. C'est très sympa, très convivial...

Oui. Pourquoi pas ? Euh... Attendez ! Il mesure combien, le bateau ? Je suppose qu'il est tout petit et....

Mais non, il est assez grand et, en septembre, il n'y a pas autant de monde qu'au mois d'août...

Oui, mais il y aura combien de personnes ?

Oh Karine, arrête ! Stop ! Tu imagines toujours le pire ! Bon ! Puisque tu n'es jamais contente, organise toi-même ta semaine. Zut ! Moi, je vais me promener. Adieu !

Hôtel-club Méditerranée ★★

Mercredi	Jeudi	Vendredi
9 h Visite de la ville de Sète, puis départ en bus pour la campagne sétoise. Visite d'un vieux village pittoresque. Retour à 13h.	9 h Activités piscine pour les enfants	8 h Croisière en Méditerranée (attention, places limitées, pré-inscription obligatoire). Déjeuner de poissons sur le bateau. Temps libre pour se baigner. Retour à 18h.
11 h Gymnastique	10 h Football	
14 h Tournoi de ping-pong	14 h Tournoi de pétanque	10 h Basket-ball
16 h Tir à l'arc	17 h Cours de cocktails	11 h Aquagym
		16 h Volley-ball
20 h Dany et son groupe (chansons françaises)	20 h 00 Questions pour les champions (nombreux prix à gagner)	20 h Soirée dansante

Vocabulaire

• Verbes
bouger
imaginer
laisser
mesurer
proposer
supposer
trouver (≠ chercher)

• Noms
la campagne
convivial
une croisière
un endroit
une excursion
une personne
un village

• Adjectifs
content(e)
pittoresque
sauvage

• Mots invariables
autant de
justement

• Pour communiquer
Pourquoi pas...
Zut !
Adieu !

• Manières de dire
du monde
tout petit (= très petit)
vous-même (moi-même, toi-même, lui-même, elle-même, nous-même, vous-même, eux-mêmes, elles-mêmes)

Écouter

• Écoutez le dialogue (page 66) et répondez par *Vrai*, *Faux* ou *On ne sait pas*.

	Vrai	Faux	On ne sait pas
a. Nathan et Karine sont dans une agence de voyages.	☐	☐	☐
b. Nathan et Karine sont des amis d'enfance.	☐	☐	☐
c. Nathan et Karine ont choisi des vacances loin des touristes et des club de vacances.	☐	☐	☐
d. Nathan pense que Karine est très difficile.	☐	☐	☐
e. Le dialogue se passe au mois de septembre.	☐	☐	☐

! Comprendre

• Regardez les activités proposées par l'hôtel Méditerranée. Répondez aux questions par groupes de deux.

a. Karine est une fille sportive. Qu'est-ce qu'elle peut faire le mercredi ?
b. Nathan voudrait apprendre la cuisine méditerranéenne. C'est possible ?
c. Pour la croisière, qu'est-ce qu'il faut faire avant le départ ? Pourquoi ?
d. Karine veut faire la croisière et participer au match de volley ball. C'est possible ?

Communiquer

Regardez ces deux photos. Avec votre voisin, choisissez une destination et racontez ce que vous pourriez y faire. Utilisez le conditionnel.

Exemple : On pourrait aller...

Écrire

Vous travaillez dans une agence de voyages dans le service marketing. Vous devez réfléchir à une nouvelle offre de voyage (destinations et activités) pour les 25-35 ans. Écrivez trois à quatre lignes de présentation.

J'APPRENDS ET JE M'ENTRAÎNE

Grammaire

- **Le conditionnel (1)**

  Vous connaissez déjà le conditionnel de politesse pour demander quelque chose : *Je voudrais...*

  On l'utilise aussi pour proposer quelque chose, pour suggérer quelque chose :

  *On **pourrait** jouer au ping-pong. Ça te plairait ?*

  ou pour exprimer l'éventualité, la possibilité :

  *Tu **pourrais** visiter Sète.*

  Sa forme : comme le futur, c'est une forme en « r ». Elle est très régulière. Les terminaisons sont :

  -rais, -rais, -rait, -rions, -riez, -raient

  Je pourrais, tu pourrais, il/elle/on pourrait, nous pourrions, vous pourriez, ils/elles pourraient

- **Les complétives (suite) :** *je crois que.../je suppose que...*

  Je crois qu'il n'y aura pas autant de monde...

  Je suppose qu'il est tout petit.

- *Parce que/Puisque*

  Parce que répond à la question **Pourquoi ?** Il apporte une information pas encore connue.

  Avec **puisque**, on suppose que la cause est **déjà connue**.

  – Pourquoi est-ce que tu préfères la mer ?

  – **Parce que** je voudrais faire une mini-croisière.

  – **Puisque** tu n'es jamais content, organise toi-même la semaine.

- **Le comparatif**

  moins de + nom + **que/autant de** + nom + **que/plus de** + nom + **que**

  *Sur la Côte d'Azur, il y a **plus de** touristes **qu'**en Bretagne.*

  *Il y aura **autant de** monde à Nice **qu'**à Cannes.*

---

1 Cette année...

Écoutez et complétez le texte.

Cette année, nous ne .... pas à Cannes. La Côte d'Azur, c'est très beau, il fait ...., il y a du soleil, mais il y a beaucoup trop de ...., surtout l'été.

Philippe préfère partir en Irlande pour .... le saumon.

Donc, nous .... là-bas deux semaines en juin. Et plus tard, au mois d'août, nous .... une petite .... en Finlande. J'ai déjà réservé nos .... sur Internet.

Cannes

2 Prochaines vacances

L'année prochaine, qu'est-ce que vous aimeriez faire ? Discutez avec votre voisin.

Par exemple : Je voudrais faire une expédition dans l'Himalaya.

3 Avec qui ? Et pourquoi ?

Observez les photos et lisez les présentations de chaque personne.
Répondez aux questions en expliquant pourquoi.

Par exemple : Je n'aimerais pas travailler avec Robin parce qu'il a l'air bizarre.

Robin
J'aimerais être écrivain, j'écris beaucoup.
Je n'aime pas danser, je déteste le bruit et le désordre.
J'aime beaucoup regarder des films. J'adore le football. J'aime les chats.
Je suis très sérieux et un peu timide.

Clémence
J'adore sortir, parler avec mes amis, rencontrer des nouvelles personnes, écouter de la musique, aller au cinéma.
Je ne sais pas faire la cuisine et je déteste faire la vaisselle.
J'adore les serpents, j'en ai deux chez moi.
Je suis célibataire et je voyage beaucoup.

Emma
J'adore boire du vin rouge et bien manger.
J'adore rire et lire des magazines et des B.D.
Je fume. Je dors jusqu'à midi. Je suis allergique à beaucoup de choses.
J'aime jouer au Poker.
J'oublie souvent mes rendez-vous.

a. Avec qui est-ce que tu n'aimerais pas travailler ?
b. Qui est-ce que tu aimerais rencontrer ?
c. Avec qui aimerais-tu partir en vacances ?
d. Avec qui est-ce que tu ne voudrais pas partager ton appartement ?

4 *Parce que, puisque*

Complétez les phrases.

– Vanessa n'est pas contente .... son mari ne veut pas aller en Turquie.

– Ah bon ? Il ne veut pas ! Pourquoi ?

– .... il pense que le bateau sera tout petit. Il préfère la pêche.

– Eh bien, ... il aime la pêche, ils peuvent aller en Irlande.

– Oui mais elle, elle n'a pas envie d'y aller.

– Pourquoi ?

– .... la pêche, elle déteste ça !

5 *Avez-vous...*

Posez la question avec : *avoir faim - avoir soif - avoir envie de - plaire à.*

a. .... ? – Non, merci, j'ai déjà mangé.
b. .... ? – Oui, bonne idée. On va voir quel film ?
c. .... ? – Oui, ça lui plairait beaucoup.
d. .... ? – Oui, je veux bien un peu d'eau, s'il te plaît.
e. .... ? – Non, merci, j'ai cent euros, ça va.

6 Les Français et les vacances

Les Français ont de la chance ! Ils ont 38 jours de congé par an contre 13 jours pour les Américains et 18 jours pour les Japonais.
Ils partent surtout en France : ils vont dans la famille, ils louent une maison ou un appartement, ils font du camping. Les plus jeunes partent plus loin.
Pour les Français, les vacances c'est oublier la routine, le « métro-boulot-dodo », retrouver la nature, bouger, marcher… Mais aussi, découvrir une culture étrangère…
Partir, oui, mais pas seuls. Les Français préfèrent partir avec leur amoureux ou leur amoureuse, leur conjoint, leur famille ou leurs amis.

Par groupes de deux ou trois, répondez aux questions.

a. Dans le texte, on apprend que « les Français partent surtout en France… ». Avez-vous les mêmes habitudes dans votre pays ?
b. Que faites-vous pendant vos vacances ?

Qu'est-ce que tu cherches ?

JE COMPRENDS ET JE COMMUNIQUE

1 lespetitesannonces.fr

Je cherche un(e) colocataire 25/40 ans, sérieux et tranquille pour partager mon appartement (un grand trois-pièces en plein centre-ville). Je loue une chambre claire et confortable, canapé-lit 2 places. Je voyage régulièrement à l'étranger et je suis très indépendant.
Contactez-moi à l'adresse suivante : thomasmassot@jpconseils.fr

A

Vous ne connaissez personne pour vous aider dans les travaux de votre appartement/maison ? *Le Petit Bricoleur* peut vous envoyer quelqu'un de sérieux pour la peinture, l'électricité… Appelez au 02 31 48 17 74 et laissez un message sur le répondeur.

B

Vends un manuscrit original du 17ᵉ siècle. Livre en cuir. Auteur russe très célèbre. Si cela vous intéresse, appelez les *Amis des livres anciens* au 07 40 63 90 78 et demandez Antoine. Prix à discuter.

C

Homme, la quarantaine, divorcé sans enfant, riche, adore livres anciens, aimerait rencontrer jeune femme, libre, 40 ans maximum, jolie et gaie, pour partager voyages, sorties… (et plus peut-être). Si intéressée, envoyer photo à : lespetitesannonces@annoncesY23.fr

D

Nous cherchons des familles d'accueil dans la région de la Touraine pour une trentaine d'élèves anglais entre 14 et 17 ans. Nous sommes un centre de langues de qualité depuis 1987. Visitez notre site et contactez-nous à l'adresse : elevesenfrance@touraine.fr

E

2 Pourquoi pas toi ?

Alors, Romain, ton appartement, tu es content ?

Non, pas vraiment. Il est petit. En plus, il y a des problèmes d'électricité dans l'immeuble.

Ah bon. Et ton travail, comment ça va ?

Bien. À la banque, mes collègues sont sympas, les clients aussi.

Et tes amis ? Tu as des nouvelles ?

Tous les mardis, je vois mes copains des *Amis des livres anciens*. Antoine a trouvé un manuscrit du 17ᵉ siècle, c'est INCROYABLE !

Tu sors toujours avec tes amis de l'université… Tu ne vois personne en ce moment ? Tu ne dis jamais rien.

Papa, tu veux toujours tout savoir…

C'est normal, tu dois plaire beaucoup aux filles. Tu es aussi beau que moi à ton âge…

Papa, trouver l'amour maintenant, c'est compliqué. Ce n'est pas comme à ton époque, les filles sont plus difficiles.

Écoute, si tu veux, je te raconte l'histoire de mon ami Raymond, 63 ans, il est aussi timide que toi. Pourtant, il a rencontré Josette, par les petites annonces. Elle est très différente de lui : très sympa, gaie, dynamique. Maintenant ils sortent tout le temps ensemble. Raymond a changé, il va danser, va au cinéma avec Josette. Il a mis une annonce, pourquoi pas toi ?

Vocabulaire

• Verbes
accueillir
envoyer
louer
partager
vendre

• Noms
un auteur
le bricolage, un bricoleur
un canapé-lit
un(e) colocataire
le cuir
un livre
un manuscrit
un message
la peinture
un répondeur
un site (Internet)

• Adjectifs
clair(e)
confortable
indépendant(e)
original(e)
riche

• Mots invariables
personne
rien
tout

• Manières de dire
une bonne situation (= un bon métier)
une bonne affaire (= un bon achat)
plus... (+)
une dizaine, une trentaine (= à peu près 10, à peu près 30)

Écouter

• Écoutez le dialogue, page 70, et choisissez la/les bonne(s) réponse(s) aux questions.

a. Les personnages sont :
☐ des amis   ☐ des frères   ☐ un père et son fils

b. Romain habite dans :
☐ un grand studio
☐ un petit appartement
☐ une maison

c. Qu'est-ce que veut dire l'expression « voir quelqu'un » ?
☐ regarder quelqu'un
☐ comprendre quelqu'un
☐ être en couple avec quelqu'un

d. Pour « trouver l'amour »,
Qu'est-ce que Romain peut faire ?
☐ lire les petites annonces
☐ mettre une annonce
☐ sortir et rencontrer des gens

e. Lisez les annonces, page 70.
Laquelle est-ce que Romain a pu mettre ? Pourquoi ?

Comprendre

• Lisez les cinq annonces et classez-les dans les rubriques suivantes. (Certaines annonces peuvent être dans plusieurs rubriques.)

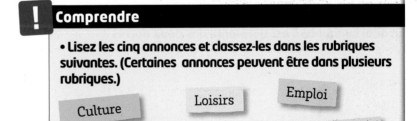

Culture   Loisirs   Emploi   Rencontre   Logement

Écrire

Imaginez la femme que Romain souhaite rencontrer et écrivez l'annonce à laquelle il répond.

Je prononce

• Les sons [ɔ], [o], [u]
Écoutez et répétez :
a. copain – une robe – Tu es folle ! – des pommes
b. quelque chose – beau – de l'eau
c. C'est lourd – Vous êtes fou ! – toujours
d. Bonne journée à vous ! – C'est beaucoup trop lourd –
Je voudrais un kilo de pommes. – Vous voulez autre chose ?

Communiquer

Les parents de Romain aimeraient accueillir des étudiants anglais et contactent le centre de langues, Romain appelle les *Amis des livres anciens*, une personne âgée téléphone au *Petit Bricoleur*... Choisissez une situation et imaginez un dialogue avec votre voisin. Aidez-vous des annonces page 70.

J'APPRENDS ET JE M'ENTRAÎNE

Grammaire

- **L'expression de l'hypothèse et de la condition**
  Si + présent / présent ou futur ou impératif
  Si tu veux, je te raconte l'histoire de mon ami Raymond.
- **La phrase négative (2)**
  Rappels :   Ne ... jamais   Tu **ne** dis **jamais** rien.
                  Ne ... rien   Tu **ne** dis jamais **rien**.
                  Ne ... personne   Tu **ne** vois **personne** en ce moment.
- **Attention à la construction des verbes**
  intéresser quelqu'un → ça m'intéresse / ça t'intéresse / ça **l'**intéresse /
                               ça nous intéresse / ça vous intéresse / ça **les** intéresse
  plaire à quelqu'un   → ça me plaît / ça te plaît / ça **lui** plaît /
                               ça nous plaît / ça vous plaît / ça **leur** plaît

1 Écoutez les annonces.

Notez les adresses e-mail et les numéros de téléphone des annonces A et C.
En quoi l'annonce C est différente des deux autres ?

Annonce A
Email : ....@...........................
Tél : ....
Objet : .... Taille : ....

Annonce C
Email : ....@...........................
Tél : .... Tapez .... pour ....
Tapez .... pour ....
Objet : ....

2 Reliez.

a. Si vous cherchez un ami,   •   • **1.** fais du sport.
b. Si vous êtes perdu,   •   • **2.** on ouvre le champagne !
c. Si tu as pris 6 kilos   •   • **3.** commencez la réunion sans moi.
d. Si je suis en retard,   •   • **4.** nous arriverons à l'heure à la gare.
e. Si nous nous dépêchons,   •   • **5.** il faut sortir et rencontrer du monde.
f. Si tu réussis ton projet,   •   • **6.** regardez sur le plan.

3 Si...

Complétez les phrases. Puis, lisez-les à votre voisin et comparez.

a. Si je ne suis pas là quand tu arriveras, ...
b. S'il ne pleut pas demain, ...
c. Si tu préfères aller au théâtre la semaine prochaine, ...
d. Si l'offre de l'appartement vous intéresse, ...
e. Si tu n'appelles pas maintenant l'annonce Z15, ...
f. Si ces chaussures noires te plaisent vraiment, ...

4 *Ne... pas, ne... jamais...*

Répondez aux questions avec : *ne ... pas / ne ... jamais / ne ... rien /ne ... personne.*

a. Tu connais quelqu'un à Bruxelles ? – Non, je ....

b. Pardon, monsieur, vous habitez dans ce quartier ? – Ah non, désolé, je ....

c. Vous partez en vacances cette année ? – Non, cette année, ...

d. Tu veux quelque chose ? Un Coca ? Un café ? – Non, merci, je ....

e. Vous allez souvent à l'Opéra ? – Non, ...

f. Il pleut de temps en temps au Sahara ? – Mais non, il .... !

Bruxelles

5 Les contraires

Reliez les contraires.

sérieux, sérieuse •	• minuscule
triste •	• tranquille
timide •	• calme
indépendant(e) •	• sombre
animé(e) •	• obligatoire
grand(e) •	• gai(e)
en couple •	• fou/folle
possible •	• original(e)
clair(e) •	• dépendant(e)
stressé(e) •	• divorcé(e)

6 « Les contraires s'attirent. »

Connaissez-vous ce dicton français ? Imaginez la petite annonce de Josette en utilisant les abréviations suivantes. Rédigez la réponse de Raymond en trois lignes.

F :	femme	ac/ss :	avec, sans
H :	homme	renc :	rencontrer
b. situation :	bonne situation	div. :	divorcé(e)
enf. :	enfants	célib :	célibataire
indép :	indépendant	ciné :	cinéma
ch. :	cherche	pr :	pour
dyn :	dynamique	gd(e) :	grand(e)
sér :	sérieux/se		

7 Discussion sur un forum

Lisez et commentez les messages. Avez-vous déjà acheté en ligne ? Discutez en petits groupes de votre expérience.

abdel83

J'ai acheté un vélo le 01/11/12, nous sommes le 25/11/12 et je ne l'ai toujours pas reçu.
Je n'achèterai plus sur votre site en ligne ! Je préfère acheter dans les magasins. Je n'attendrai plus 3 semaines pour avoir un vélo.

titoune974

J'ai acheté un livre sur votre site et je l'ai reçu en 3 jours chez moi. J'ai gagné beaucoup de temps et le livre est neuf. Merci beaucoup !

8 Offre de cours

Vous mettez une annonce pour donner des cours à des étudiants (cours de musique, de langues, de cuisine...). Présentez-vous, dites ce que vous savez faire et quelles sont vos disponibilités.

Des vacances
originales

Des hôtels insolites

À Jukkasjärvi, en Suède

Cet hôtel est construit au mois d'octobre
et il est détruit en mars. Il est en glace !
Mais pas de panique, il y fait chaud...
(800 € la nuit !)

La vieille prison de Trois-Rivières au Québec

L'hôtel propose de passer une nuit en cellule dans la peau d'un prisonnier ! Prise d'empreintes, fiche d'incarcération, vêtements de prisonniers. Pour 60 $ la nuit.

L'hôtel-avion au Costa-Rica

Cet hôtel de luxe vous propose de dormir dans un vieux Boeing 727 qui s'est crashé en 1965 dans la jungle au bord de la plage.

Le gîte du Phare de Kerbel en Bretagne

offre à 25 mètres de hauteur un panorama exceptionnel sur le golfe du Morbihan. Déconseillé pour les personnes qui ont le vertige ! 500 € la nuit.

Le GLAMPING !

Si vous êtes écolo, que vous avez envie de nature mais aussi de luxe et de confort, le **Glamping** est fait pour vous. Parce que glamping = camping + glamour

Les carrés d'étoiles sont des maisonnettes avec un toit transparent. De votre lit, vous pourrez regarder confortablement les étoiles. Les passionnés d'astronomie, petits et grands, pourront utiliser le télescope, pour découvrir les mystères du ciel. Fabriqués dans le respect de l'environnement, ils existent partout en France.

Nous avons admiré la lune une bonne partie de la nuit avec le télescope. Très bons souvenirs. La nature tout autour, le bruit des animaux. Et le petit-déjeuner était excellent !

Dans les Alpes Suisses, vous pouvez aussi camper sous la neige dans des **White POD**. Ils ressemblent à des igloos mais sont en bois et en laine de mouton et ils sont chauffés au poêle à bois !

Un lieu magique et une expérience extraordinaire !

Vous préparez un week-end avec un(e) ami(e). Choisissez un mode d'hébergement et expliquez votre choix.

Compréhension orale

1 Écoutez et répondez.

A. De quelle maison on parle ?

1 2 3

B. Vrai ou Faux ?

	Vrai	Faux
a. La dame téléphone à son mari.	☐	☐
b. C'est la première fois que cette dame loue cette maison.	☐	☐
c. Elle veut la louer aussi l'année prochaine.	☐	☐
d. Elle a loué la maison pour deux semaines.	☐	☐
e. La maison est bien mais pas très près de la mer.	☐	☐

Grammaire

2 Transposez ce texte au futur.

L'année dernière, Éric s'est inscrit à l'université de Zurich, en Suisse. Il a suivi des cours d'économie et de statistique. Il a rencontré beaucoup d'amis de tous les pays. À Noël, il est allé passer les fêtes en Autriche, il a fait du ski et du patin à glace. Il a envoyé des cartes postales et des photos à tout le monde.

L'année prochaine, ...

....

3 Entourez les verbes qui sont au conditionnel.

– Pardon, monsieur, vous pouvez me dire où est la rue de l'Ouest ? Je la cherche depuis une demi-heure et je ne la trouve pas.

– Désolé, je ne pourrai pas vous aider, je ne connais pas bien ce quartier. Je préfère ne rien dire, je ne voudrais pas vous donner une information fausse. Mais vous pourriez peut-être demander à la pharmacie, là, en face. Ils connaissent sans doute...

4 Complétez avec *où*, *qui* ou *que*.

a. Pour demain, faites l'exercice sur le conditionnel .... est page 144. C'est sur un point de grammaire .... vous connaissez déjà.

b. Je cherche un endroit tranquille .... ne serait pas trop cher et .... je pourrais pêcher.

c. C'est toujours toi .... décides de nos vacances ! Cette année, c'est moi qui vais choisir .... nous irons !

Compréhension et expression écrites

5 **Lisez ce texte et répondez aux questions.**

> *Venez pêcher au Québec sur la rivière Bonaventure*
> *Forfait de pêche de trois jours pour deux personnes : seulement 495 $!*
>
> Le matin, vous vous levez à l'aurore et vous prenez votre petit déjeuner sur la terrasse de votre joli petit chalet, juste au-dessus d'une des baies les plus belles du monde. Pendant la journée, vous irez à quelques kilomètres pêcher dans une rivière célèbre pour sa pureté, vous regarderez sauter les saumons... Le soir, profitez des couchers de soleil magnifiques sur la baie des Chaleurs, au bord de la mer. Partez marcher sur les immenses plages de sable fin. Et pour finir, rentrez et faites-vous une bonne soupe de poisson... Bienvenue au paradis !

a. Où se trouve ce chalet ? Au bord de la mer, dans la montagne, au bord d'une rivière ?
b. Comment s'appelle la rivière où on pêche ?
c. À votre avis, pourquoi on propose aux clients de se lever très tôt (à l'aurore) ?
d. Est-ce que les vacances qui sont proposées vous plairaient ?

Expression écrite

À LOUER
Maison 80 m² pour des vacances au bord de la mer
près de Crozon, en Bretagne, pour 3/4 personnes :
salle de séjour/cuisine – 2 chambres (1 lit double / 2 lits simples) –
1 salle d'eau, 1 WC – confort
Prix à la semaine :

Basse saison : 450 euros   Haute saison : 650 euros
Moyenne saison : 550 euros   Très haute saison : 750 euros

Pour tout renseignement, envoyez un e-mail à
fred-richardot@yahoo.fr

6 **Vous avez vu cette annonce sur Internet. Elle vous intéresse. Votre période de vacances : du 15 au 30 septembre. Vous envoyez un message au propriétaire pour avoir des informations complémentaires (l'adresse exacte, un jardin ou non, les commerces, le prix à vos dates de vacances...).**

De :
À :

....
....
....
....

Bilan actionnel

Évaluez-vous

1 **Complétez, puis cochez** *Vrai* **ou** *Faux*.

Dans vingt ans, quand nous (prendre) .... notre
retraite, nous nous (installer) .... à la campagne.
Les villes (être) .... trop polluées. À la campagne
il y (avoir) .... encore un peu d'air pur. Nous (pouvoir)
.... rejoindre les grandes villes avec les TTGV (Trains
à Très Très Grande Vitesse). Notre mode d'alimentation (être)
.... très différent.

Je suis capable de conjuguer au futur : ❏ oui, ❏ pas encore.

2 **Lisez, puis complétez.**

> Tu vois cette annonce ?

> **Celle-ci** sur le journal ?

> Non, pas **celle-ci**. Je te parle de **celle-là**,
> juste devant toi, regarde bien.

Dans l'hôtel-club Méditerranée...
– Je ne sais pas quelle activité sportive choisir : ....
ou .... ?
– J'ai choisi le tir à l'arc. Mais pour la soirée dansante, je ne sais
pas quelles chaussures mettre. .... sont très belles,
mais .... sont plus confortables. Tu pourrais mettre
ce chapeau ?
– Non, ... est trop petit, je préfère mettre ....

Je suis capable d'utiliser les bons pronoms :
❏ oui, ❏ pas encore.

Action

À votre avis, qu'est-ce que nous mangerons dans cent ans ?
Seul ou en petit groupe, imaginez l'alimentation du futur.

INSECTES, VIANDE DE LABORATOIRE, ALGUES
Que sera la nourriture du futur ?

Qu'en pensez-vous ?

Unité 4

J'ai trouvé la femme de ma vie...

JE COMPRENDS ET JE COMMUNIQUE

1 Plus jamais seul !

DON JUAN COACHING

Techniques et astuces de séduction

Trouver l'âme sœur

DON JUAN COACHING
2 journées de formation
980 euros / personne
(3 personnes maximum par groupe)

✓ **OBJECTIF**
Ne plus avoir peur des femmes

✓ **DÉROULEMENT**
› **Première journée :** *Les 9 règles de séduction*
Comment parler aux femmes ?
Comment réagir à toutes les situations ?
› **Deuxième journée :** *Exercices pratiques*
• *dans la rue*
• *dans les transports publics*
• *à la terrasse d'un café*
• *dans une soirée*
À la fin de chaque exercice, évaluation et conseils de votre coach.

*En plus : apprendre à s'habiller,
apprendre à danser.*

2 La perle rare

Allô Erwan, c'est Yann, tu sais ce qui m'arrive ?
Tu ne devineras jamais !

Je ne sais pas, moi... Qu'est-ce qui se passe ? Tu as acheté une nouvelle voiture ? Tu as gagné au Loto ?

Non ! Mieux que ça !

C'est facile à deviner ! Tu as rencontré quelqu'un.

Oui ! Comment tu as deviné ? J'ai rencontré une femme extraordinaire...

Yann, tu dis ça à chaque fois !

Cette fois c'est sérieux. Elle s'appelle Morgan, c'est elle la femme de ma vie. J'ai trouvé la perle rare !

Elle est comment, celle-là ? Intelligente et romantique comme Jessica ou drôle et douce comme Laurie et Jade ?

Je ne suis pas un Don Juan ! Ça n'est pas moi qui les ai quittées. Jessica est partie parce que j'allais trop vite dans la relation, Zoé parce que j'étais trop gentil, Laurie parce qu'elle pense que je suis un « fils à maman » et Jade parce que ce n'était pas le bon moment.

Bon, parlons de Morgan. Raconte-moi ce qu'elle fait dans la vie.

Elle adore les animaux, la nature. Elle travaille dans une ferme. On s'aime ! J'ai confiance en elle, je sais qu'elle, elle sera fidèle, pas comme les autres... Je vais m'installer à la campagne avec elle.

Et vous allez vivre où ? Toi qui détestes la campagne ! Toi qui détestes les animaux... Et tes cours de karaté ? Tu arrêtes ?

C'est toi qui dis ça. Nouvelle vie, nouveau Yann.
Nous passons nos week-ends à faire des randonnées.
Je donnerais des cours de karaté dans le village.

Vocabulaire

• Verbes
deviner
gagner
marcher
tromper qqn

• Noms
le karaté
le Loto
la nature
une perle
une randonnée
la vie

• Adjectifs
doux, douce
extraordinaire
fidèle
rare
drôle (= amusant)

• Mots invariables
comme (comparaison)

• Manières de dire
Qu'est-ce qui t'arrive ?
Qu'est-ce qui se passe ?
(C'est) mieux que ça !
C'est la femme (l'homme)
de ma vie !
Qu'est-ce qu'elle fait
dans la vie ?
(= comme travail)
la perle rare
un don Juan

Écouter

• Écoutez le dialogue, page 80, et répondez aux questions.
a. Yann a rencontré beaucoup de femmes dans sa vie. Pourquoi est-ce qu'elles l'ont toutes quitté ?
b. Que signifie : « fils à maman » ?
c. Yann a confiance en Morgan. Pour quelle raison ?
d. Qu'est-ce qui va changer dans la vie de Yann ?
e. Qu'est-ce que veut dire « trouver la perle rare » ?

! Comprendre

• Lisez le document sur le Don Juan Coaching, page 80, et répondez aux questions.
a. Il s'agit de quel type de document ?
b. À qui s'adresse cette formation ? Quel est son prix ? Combien y-a-t-il de personnes au maximum dans le groupe ?
c. Comment se déroulent les deux journées de formation ?

Écrire

Écrivez en quelques lignes ce que vous pensez du « Don Juan Coaching », page 80.

Communiquer

En petits groupes, imaginez quelles sont les 9 règles de la séduction et présentez-les à la classe.

Je prononce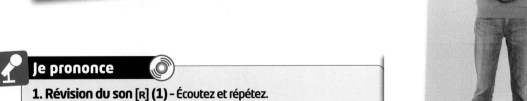

1. Révision du son [R] (1) – Écoutez et répétez.
a. en initiale : Raconte ! – Reste fidèle ! – C'est romantique ! – une randonnée
b. en finale : l'amour – la nature – bien sûr ! – c'est rare
c. à l'intérieur d'un mot : elle est grande, elle est sportive – C'est une perle ! – C'est le grand amour !

2. Intonation : la moquerie – Écoutez et répétez :
Attention à toi, don Juan ! – Oh, oh, une femme dangereuse !

J'APPRENDS ET JE M'ENTRAÎNE

Grammaire

- **La mise en relief**
  Attention à la structure : ***C'est moi qui... C'est toi qui...***
  *Ce n'est pas <u>moi</u> **qui** suis parti – C'est <u>toi</u> qui **dis** ça ? – C'est <u>Zoé</u> qui **est** partie – C'est <u>nous</u> qui **faisons** le ménage. – C'est <u>vous</u> qui **allez** en Égypte ? – C'est <u>eux</u> qui sont **venus**, pas elles !*

- **Le pronom relatif neutre**
  Qu'est-ce qui... ? → ... *ce qui...*   **Qu'est-ce que... ?** → ... *ce que...*
  *Qu'est-ce **qui** se passe ?*   → *Dis-moi **ce qui** se passe.*
  *Qu'est-ce **qu'**elle fait ?*   → *Raconte-moi **ce qu'**elle fait.*

- ***C'est* + adjectif + *à* + infinitif**
  ***C'est** facile **à** deviner. – **C'est** difficile **à** faire.*

1 Vivre en ville ou à la campagne

Écoutez et répondez aux questions.

a. Quel est le pourcentage des Français vivant dans les villes ?
b. Quel est le pourcentage des personnes habitant en ville et qui préféreraient habiter à la campagne ?
c. Quel est l'avis des Parisiens ?
d. Quelles sont les deux destinations choisies par les Français pour vivre à la campagne ?
e. Quel est le symbole d'une vie sans stress ?

Situation 2 : Vous habitiez à la campagne, vous habitez en ville.

2 Ce qui a changé...

Choisissez une des deux situations et répondez aux questions.

a. Qu'est-ce qui a changé dans votre vie ?
b. Qu'est-ce qui vous manque le plus dans votre vie d'« avant » ?

Exemples :
Ce qui a changé dans ma/notre vie, c'est...
Ce qui me/nous manque le plus, c'est...

....
....
....
....
....

Situation 1 : Vous habitiez en ville, vous habitez à la campagne.

3 C'est moi qui…

Répondez comme dans l'exemple.

*Exemple : – Qui a dit ça ? C'est moi ? – Oui, c'est **toi** qui **as** dit ça !*

a. Qui a fait ça ? C'est toi ? – Oui, ...

b. Je n'ai jamais dit ça ! – Si, ...

c. Qui est venu ? Mathieu ? – Oui, ...

d. Qui a oublié d'envoyer cette lettre ? C'est vous, Monsieur Parron ? ....

e. Qui a acheté ces deux bouteilles de champagne ? C'est vous tous ? ....

4 Trouvez votre moitié

Répondez aux questions puis trouvez une personne dans la classe qui a les mêmes goûts que vous.

a. Quel est votre plat préféré ?

b. Quel est votre film préféré ?

c. Quelle est votre chanson préférée ?

d. Quelle est votre ville préférée ?

e. Quel est votre sport préféré ?

5 Rencontre sur Internet

Lisez le texte et, à deux, répondez aux questions.

Comment rencontrer la perle rare ?

La France compte 18 millions de célibataires. Pour rencontrer sa moitié, son âme sœur, on peut s'inscrire à des cours de danse, de cuisine… et aussi à des sites de rencontres sur Internet.

Sur le site http://www.adopteunmec.com, les femmes peuvent choisir des hommes sur catalogue, comme dans une boutique. On peut choisir Monsieur Barbu, Monsieur Muscle ou Monsieur Geek… C'est un concept marketing où l'on parle de promotions, d'offres spéciales… Tout le monde comprend que c'est pour rire.

47 % des gens qui ont visité le site ont rencontré leur moitié, les autres continuent à chercher ou à attendre…

a. Est-ce que, d'après vous, rencontrer quelqu'un sur un site de rencontres reste tabou ?

b. Est-ce que le concept d'« homme-objet » vous choque ?

c. Jules Renard a écrit : « Le meilleur moyen de trouver l'âme sœur est d'aller la chercher !». Êtes-vous d'accord avec cette phrase ?

6 Geek, hippie, lolita… ?

Choisissez une des photos ci-dessous et décrivez-la.

A

B

C

D

7 Et vous, quel est votre style ?

Décrivez votre style et votre univers culturel en trois ou quatre lignes.

....
....
....
....
....
....
....
....
....
....
....

Enfin le week-end !

JE COMPRENDS ET JE COMMUNIQUE

Week-end en couple

Week-end solo

Week-end entre
amis ou en famille

Week-end dans les Landes

Dans la voiture, Amandine, Diego et Thomas sont en route vers Saint-Sever.

Super, enfin le week-end ! Nous allons nous reposer.
En plus, on va se régaler chez Dimitri. Moi qui adore le foie
gras, c'est la spécialité de la région.

Toi qui ne penses qu'à manger, tu pourrais m'aider à regarder
la route. J'ai peur de ne pas arriver avant minuit ! Le GPS indique
que Saint-Sever est encore à 150 km, mais on devrait être tout
près maintenant... Je ne comprends pas.

Diego, ne t'inquiète pas, c'est le GPS qui s'est trompé.
Tu as bien pris l'autoroute A63 ? Alors prends maintenant
la sortie... Marsans.

Je regarde sur la carte routière. Ah non, je l'ai laissée chez moi.
Dimitri a dit... qu'est-ce qu'il a dit déjà ? Je peux l'appeler ?
Attends, je prends un stylo.

Non, ne l'appelle pas. Le GPS dit : « Traversez la place de la gare, puis
prenez la première rue à gauche dans la rue de l'Ambassadeur. »

Ah non, c'est faux. Dimitri a dit « à droite » et pas à gauche,
j'en suis sûre ! Avec cette machine, on ne comprend plus rien,
oh là là... nous allons nous perdre. Il fait nuit et je commence
à avoir peur.

Ne vous inquiétez pas. Diego, tu prendras à droite dans la rue
de l'Ambassadeur, on verra une maison blanche, avec un toit
rouge, des volets verts, un petit jardin et une piscine devant.
Ce sera la maison de Dim', je le sais, je suis déjà allé chez lui.

Et c'est seulement maintenant que tu le dis !

Vocabulaire

• Verbes
comprendre
s'inquiéter
se perdre
se régaler
traverser

• Noms
une autoroute
une carte (routière)
une direction
le foie gras
un GPS (système de localisation)
un kilomètre
une (route) nationale
la peur
une sortie
un stylo
un toit
un volet

• Mots invariables
à peu près
jusqu'à...

• Manière de dire
avoir peur de

Écouter

• Écoutez le dialogue, page 84, et répondez aux questions.
a. Comment aller chez Dimitri ?
b. Comment est la maison de Dimitri ?
c. Qu'est-ce que l'on mange dans cette région ?
d. Qu'est-ce qu'Amandine a oublié chez elle ?
e. De quoi Diego et Amandine ont peur ?
f. À la fin du dialogue, pourquoi est-ce qu'Amandine n'est pas contente ?

Comprendre

• Lisez les deux itinéraires suivants et dites à quelles photos, page 84, ils correspondent.

Itinéraire 1
À 30 kilomètres au nord de Clermont-Ferrand et à 20 minutes de Vichy, près de l'autoroute A71, vous trouverez un parc naturel à Cannat, avec des cabanes dans les arbres et des yourtes de Mandchourie.

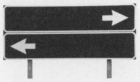

Itinéraire 2
À 75 km de Montpellier, à la sortie 52, vous prenez la départementale D35 direction Le Bousquet d'Orb. À l'entrée, prenez la départementale D8 jusqu'à la station thermale. Plaisir, relaxation et bien-être sont au rendez-vous.

Communiquer

À deux, discutez de votre dernier week-end avec des amis. Où est-ce que vous êtes allés ? Comment est-ce que vous étiez ?

Écrire

Des amis viennent chez vous en voiture depuis l'aéroport. Donnez-leur des indications précises sur le trajet. Décrivez votre maison/immeuble.

Je prononce

1. Révision du son [R] (2)
a. j'ai peur – j'ai très peur – j'ai très peur de me perdre
b. la rue – la première rue – la première rue à droite – prends la première rue à droite
c. tu verras – tu verras, c'est super – tu verras, le foie gras est super

2. Intonation : la mise en relief
a. Elle est où, ta maison ? – Ta maison, elle est où ?
b. Les Landes, c'est super ! – C'est super, les Landes !

J'APPRENDS ET JE M'ENTRAÎNE

Grammaire

- **Les verbes pronominaux et le futur proche**
  Attention à la place du pronom !
  *Nous allons **nous** reposer. On va **se** régaler. Nous allons **nous** perdre.*

- **Révision de *toi qui...***
  Rappel : n'oubliez pas d'accorder le verbe.
  Toi qui ne penses qu'à manger.
  Moi qui adore le foie gras.

- ***avoir peur de* + nom ou infinitif**
  Elle a peur de la nuit. – Elle a peur de ne pas arriver avant minuit.
  Et vous, vous avez peur de quoi ? Utilisez votre dictionnaire.
  Rappel – *avoir besoin de + nom/infinitif*
  On a tous besoin de vacances./On a besoin de partir.

  avoir envie de + nom/infinitif
  J'ai envie d'un café./J'ai envie de dormir.

1 Pour moi, le week-end c'est...

Écoutez les témoignages de Noah, Inès et Raphaël.
Résumez en une phrase ce que chacun pense de ses week-ends.

2 Moi qui...

Reliez les phrases suivantes.

a. Toi qui adores les voitures, •   • **1.** Eux qui détestent le sport,

b. Vous qui connaissez bien Londres, •   • **2.** il ne sort jamais après 22 h.

c. Pour nous qui ne mangeons que des légumes, •   • **3.** ils ne liront jamais France Football.

d. Tokyo, ce n'est pas une ville pour elle ! •   • **4.** tu devrais voir la Ferrari de Georges.

e. Lui qui a peur de tout, •   • **5.** le foie gras, non merci !

f. Elle qui se perd tout le temps à Paris ! •   • **6.** vous savez où est Portobello Road ?

3 Ils ont peur de se perdre...

Complétez les phrases avec *avoir peur de*, *avoir envie de* ou *avoir besoin de*.

Exemple : Ils ont peur de se perdre, ils ont besoin d'une carte routière.

a. Nous .... de rater notre examen.

b. J'........................ d'acheter une nouvelle voiture. La mienne a 15 ans !

c. Mon fils .... du noir.

d. Je n'........ pas .... de partir seule en vacances. Tu viens avec moi ?

4 Connaissez-vous le *Book Crossing* ?

Votre livre a beaucoup voyagé à travers la France. Reliez chaque lieu à la ville correspondante. Décrivez le trajet que votre livre a fait.

Le *Book Crossing* est un moyen amusant de lire gratuitement. L'idée est simple, des livres sont laissés dans les trains, dans la rue, sur un banc dans le but d'être retrouvés par des personnes qui, elles-aussi, les laisseront dans un espace public.
Ce phénomène est mondial : les États-Unis, l'Allemagne et le Royaume-Uni sont les trois pays où les livres sont les plus « abandonnés ».

a. le Pont des Arts •   • Nice
b. la gare de Calais-Fréthun •   • Lyon
c. la Cathédrale Saint-Jean •   • le Mont-Saint-Michel
d. le restaurant *la Mère Poulard* •   • Calais
e. la Promenade des Anglais •   • Paris

5 Mais où est...

Choisissez un objet qui vous appartient et « libérez-le ». Prenez des photos de cet objet dans différents endroits. Sinon, imaginez le trajet de votre objet et présentez-le à la classe.

Ils ne sont pas tous comme ça !

JE COMPRENDS ET JE COMMUNIQUE

1 Je suis bénévole

Je m'appelle **Thin Quynh**, je suis Volontaire International pour la Francophonie. Je viens du Vietnam. Je vis au Gabon en Afrique depuis trois mois pour développer la formation en ligne des professeurs. Les autres volontaires viennent aussi des pays membres de l'Organisation Internationale de la Francophonie et nous nous entendons très bien. Je suis très contente de cette expérience.

 les petits frères des Pauvres

Je m'appelle **Myriam**, je suis bénévole chez les Petits Frères des Pauvres à Montréal au Canada depuis un an et demi. Deux fois par semaine, j'aide Marcel qui a 84 ans. Je prends son courrier, je lui lis le journal, on regarde ensemble la télévision. Je l'aide pour la cuisine et le ménage. Quand il fait beau, on sort au parc. Il est comme un grand-père pour moi.

Je m'appelle **Chadi**. Je suis bénévole au Secours Populaire Français à Trappes. Je suis marocain, marié avec deux enfants. Tous les week-ends et depuis trois ans, je viens aider le Secours Populaire Nous recevons régulièrement et gratuitement des vêtements, de la nourriture, des meubles… Est-ce que vous savez que nos donations alimentaires (boîtes de conserves, paquets de pâtes, litres de lait…) représentent 186 millions de repas dans toute la France ? Nous donnons à tous les gens qui en ont besoin. J'ai toujours aimé aider et faire quelque chose d'utile. C'est pourquoi, je suis bénévole.

2 Tu es trop gentille

Vocabulaire

• Verbes
emporter
expliquer
pleurer

• Noms
de l'argent
une bague
un bénévole (travaille dans une association/ONG sans statut légal)
une boîte (de nuit)
une chose
un DVD
un salon
un vêtement
un volontaire (travaille dans une association/ONG avec un statut légal),

• Adjectifs
assis, assise
gentil, gentille
malade

• Mot invariable
par terre

• Pour communiquer
Pfuitt !

• Manières de dire
à la maison
une drôle d'histoire (une histoire étrange, bizarre)
pas mal de + nom
sortir en boîte
Il m'est arrivé...

Je prononce

1. Révision des nasales (1) = le son [ã]
Écoutez et répétez.
en rentrant – en arrivant – en partant – pas d'appartement, pas d'argent – C'était il y a trente ou quarante ans – Elle n'avait rien : pas de parents, pas d'appartement, pas d'argent.

2. Suite de voyelles
Écoutez et répétez.
Tu as eu raison – Tu as eu de la chance – Sandra a eu des problèmes

Écouter

• Écoutez le dialogue, page 88, et cochez *Vrai*, *Faux* ou *On ne sait pas*.

	Vrai	Faux	On ne sait pas
a. Juliette est allée en boîte de nuit samedi soir.	☐	☐	☐
b. Samedi soir, il pleuvait.	☐	☐	☐
c. Elle a rencontré une jeune fille dans la boîte de nuit.	☐	☐	☐
d. La jeune fille s'appelait Alexandra.	☐	☐	☐
e. Juliette est une personne très gentille.	☐	☐	☐
f. La jeune fille a laissé un message pour remercier Juliette.	☐	☐	☐

! Comprendre

• Écoutez les expériences de Thin Quynh, Myriam et Chadi, page 88, puis répondez aux questions.
a. Qu'est-ce qu'ils font ?
b. Depuis combien de temps ?
c. Qu'est-ce que cela leur apporte ?

Communiquer

À deux, discutez du week-end de Juliette.
Qu'est-ce que vous pensez de la phrase « Je continue à croire que les gens ne sont pas tous comme ça ! » ?

Écrire

Vous voulez être bénévole. Écrivez une lettre de motivation de quelques lignes à une ONG de votre choix.

J'APPRENDS ET JE M'ENTRAÎNE

Grammaire

• **Discours indirect au passé : la concordance des temps**

Voilà ce que dit la jeune fille au **discours direct** :

« *Je viens du Vietnam* » – « *Je vis au Gabon depuis trois moi. Je suis très contente* »

Si on rapporte les paroles de la jeune fille :

• on peut les rapporter tout de suite **avec un verbe au présent** :

*Elle **raconte** qu'elle vient du Vietnam.*

*Elle **dit** aussi qu'elle vit au Gabon depuis trois mois et qu'elle est très contente.*

→ **Les verbes soulignés restent au présent.**

• ou on peut les rapporter plus tard **avec un verbe au passé** (par exemple au passé composé) :

*Elle **a raconté** qu'elle venait du Vietnam.*

*Elle **a dit** aussi qu'elle vivait au Gabon depuis trois mois et qu'elle était très contente.*

→ **Attention à la concordance des temps ! Les verbes soulignés sont à l'imparfait.**

• **Le gérondif (1) avec une valeur de temps**

• **Sa forme** est facile : **en ...-ant.**

On part de la 1ʳᵉ personne du pluriel du présent. On ajoute la terminaison **-ant**.

nous allons → **en allant** *nous finissons →* **en finissant**

• Le gérondif a plusieurs valeurs. Par exemple, il sert à exprimer **le temps**.

*J'ai rencontré la jeune fille **en rentrant chez moi.** (quand ? quand je rentrais chez moi)*

***En partant**, elle a emporté pas mal de choses. (quand ? quand elle est partie)*

Ici, le gérondif sert à exprimer **la simultanéité de deux actions**. Elles se déroulent en même temps et le sujet du gérondif est le même que celui de la phrase.

*J'ai vu cette fille dans la rue **en rentrant chez moi.** (quand je rentrais chez moi)*

***En partant**, elle a emporté pas mal de choses. (quand elle partait de chez moi)*

• **Les doubles négations**

– Il y a quelqu'un ?　　　– Non, il **n'**y a **personne**.

– Il y a **encore** quelqu'un ?　　– Non, il **n'**y a **plus personne**.

– Vous voulez quelque chose ?　– Non merci, je **ne** veux **rien**.

– Vous voulez **encore** quelque chose ?　– Non merci, je **ne** veux **plus** rien.

---

1 Écoutez.

Donnez pour chaque phrase l'infinitif du verbe au gérondif.

Par exemple : Est-ce que vous avez acheté du pain en venant à la maison ? → venir

a. ....　　**b.** ....　　**c.** ....　　**d.** ....　　**e.** ....

2 Discours indirect

Transformez les phrases comme dans l'exemple. Attention à la phrase d.

Exemple : Amina : « J'habite à Dakar avec mes parents, je suis étudiante. »
→ Elle a dit qu'elle habitait à Dakar avec ses parents et qu'elle était étudiante.

a. Paul et Sarah : « Nous vivons à Paris. Nos parents sont acteurs. »
→ Ils **ont dit** ....

b. Valentine : « J'ai vingt-quatre ans, je veux finir mes études cette année. »
→ Elle **a dit** ....

c. « Je ne peux pas venir à la réunion, j'ai un autre rendez-vous. »
→ Monsieur Fromentin **a expliqué** ....

d. « Je connais très bien Londres, j'y vais chaque semaine. »
→ Henri **explique** ....

e. « Je fais des études d'histoire, j'adore ça ! Je veux devenir professeur. »
→ Margot **a expliqué** ....

f. « Je fais de la danse, mon copain est comédien. Nous vivons à Rome. »
→ Maria nous **a raconté** ....

3 Du style indirect au style direct

Madame Jourdain n'entend pas ce que le docteur lui dit. L'infirmière lui répète ce qu'il dit. Complétez.

Madame Jourdain, mangez cinq fruits par jour !

Qu'est-ce qu'il a dit ?

Le docteur vous a demandé de manger cinq fruits par jour

a. Madame Jourdain, ... !
– *Qu'est-ce qu'il a dit ?*
– Le docteur vous a demandé de manger tous les légumes.

b. Madame Jourdain, ... !
– *Qu'est-ce qu'il a dit ?*
– Il vous a demandé d'aller marcher au parc tous les jours.

c. Madame Jourdain, ... !
– *Qu'est-ce qu'il a dit ?*
– Il vous a demandé de déjeuner avec les autres personnes de l'hôpital.

d. Madame Jourdain, ... !
– *Qu'est-ce qu'il a dit ?*
– Il vous a demandé d'arrêter de regarder la télévision à une heure du matin.

4 TEST

Êtes-vous gentil(le) ?

1. **Dans un magasin, quelqu'un passe devant vous.**
   # Vous lui dites de faire la queue comme tout le monde ! ☐
   ● Vous ne dites rien, ce n'est pas grave ! Vous avez du temps ! ☐
   ■ Vous lui dites gentiment et fermement que vous étiez devant lui. ☐

2. **Vous avez rendez-vous avec votre amoureux/amoureuse. Il/elle arrive avec une demi-heure de retard.**
   # Vous êtes furieux/furieuse et vous le dites. ☐
   ■ Vous vous moquez gentiment de lui (ou d'elle). ☐
   ● Vous lui dites que vous êtes très content(e) de le/la voir. ☐

3. **Un collègue de travail vous a emprunté de l'argent depuis longtemps. Il ne l'a pas encore rendu.**
   ● Le pauvre ! Il a beaucoup de problèmes ! ☐
   # Trop c'est trop, vous lui demandez maintenant votre argent. ☐
   ■ Vous attendez encore une semaine et vous lui en parlez. ☐

4. **Au cinéma, les deux personnes à côté de vous n'arrêtent pas de parler pendant le film.**
   ■ Vous leur dites de parler un peu moins fort. ☐
   # Vous allez vous plaindre au responsable. ☐
   ● Vous changez de place. ☐

5. **Un touriste vous demande son chemin. Il cherche le musée de votre ville.**
   ■ Vous lui expliquez où est le musée. ☐
   # Vous êtes en retard au travail, vous n'avez pas le temps de répondre à sa question. ☐
   ● Vous l'accompagnez jusqu'au musée. ☐

6. **Votre meilleur ami vous appelle au milieu de la nuit. Il se sent très malheureux.**
   ● Vous restez au téléphone tout le temps nécessaire. ☐
   ■ Vous lui dites que vous comprenez et lui proposez de prendre un café ensemble le jour suivant. ☐
   # Vous lui dites qu'on n'appelle pas les gens en pleine nuit ! ☐

Résultats :
Vous avez plus de ● : *On vous appelle « Mère Teresa ». Tout le monde vous aime car on peut compter sur vous. Vous dites « oui » à tout.*
Vous avez plus de ■ : *Vous êtes quelqu'un de facile à vivre mais vous savez dire « non ».*
Vous avez plus de # : *Quand vous décidez quelque chose, c'est maintenant. Vous n'aimez pas l'incertitude. Vous dites « non » facilement car vous ne pensez qu'à vous-même.*

On a voulu le kidnapper !

JE COMPRENDS ET JE COMMUNIQUE

1

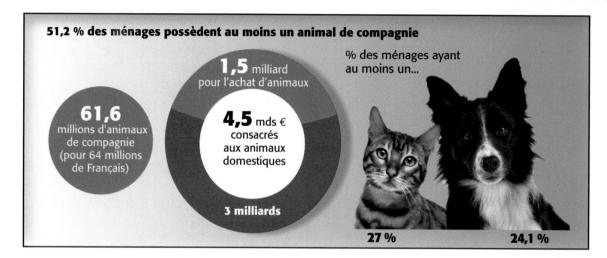

51,2 % des ménages possèdent au moins un animal de compagnie

61,6 millions d'animaux de compagnie (pour 64 millions de Français)

1,5 milliard pour l'achat d'animaux

4,5 mds € consacrés aux animaux domestiques

3 milliards

% des ménages ayant au moins un...

27 %   24,1 %

2 Madame Foenkinos et Rocky

Bon alors, qu'est-ce qui se passe aujourd'hui avec Rocky, Madame Foenkinos ?

Oh, Docteur ! Merci de nous recevoir sans rendez-vous. Il s'est passé quelque chose de terrible cet après-midi... On a essayé de le kidnapper.

Rocky, votre petit toutou ? Racontez-moi rapidement ce qui s'est passé.

Voilà, un voyou a voulu voler Rocky. J'étais sur un banc dans le parc en train de lire un magazine. J'ai eu envie d'aller aux toilettes, alors de suis allée au Café des Sports, en laissant Rocky près du banc. Quand je suis revenue, j'ai vu un homme l'emmener ! Mon chien ! Mon bijou ! Mon trésor !

Du calme, Madame Foenkinos. Tenez, prenez un verre d'eau.

Non merci, je ne veux rien boire. Il a dit que je voulais l'abandonner et qu'il l'emmenait à la SPA car mon chien était seul dans le parc depuis trois heures. C'est trop fort ! J'ai bu seulement un café avec Madame Garcia donc il a tort... Heureusement, j'avais mon parapluie avec moi et je l'ai frappé ce voyou.

S'il vous plaît, Madame Foenkinos, ça suffit comme ça ! Calmez-vous !

Vocabulaire

• Verbes
abandonner qqn
emmener
frapper
kidnapper
voler

• Noms
un banc
un parapluie
la SPA (Société
protectrice des animaux)
les toilettes
un voyou

• Manières de dire
Du calme !
C'est trop fort !
(= c'est exagéré !)
Voilà (pour introduire
une explication)
Voyou ! (insulte)
un toutou (= un chien)
Mon bijou !
Mon trésor !
avoir tort
Ça suffit comme ça !

Écouter

• Écoutez le dialogue, page 92, et cochez *Vrai, Faux* ou *On ne sait pas*.

	Vrai	Faux	On ne sait pas
a. Le dialogue se déroule dans un café.	☐	☐	☐
b. Madame Foenkinos avait un rendez-vous.	☐	☐	☐
c. Le mot *toutou* désigne tous les animaux domestiques.	☐	☐	☐
d. Madame Foenkinos a laissé son chien tout seul dans le jardin.	☐	☐	☐
e. Elle était au café en train de boire un verre avec Madame Garcia.	☐	☐	☐
f. Après les coups de parapluie de Madame Foenkinos, l'homme est allé à l'hôpital.	☐	☐	☐

Communiquer

Lisez ces citations. Laquelle préférez-vous ? Pourquoi ? En petits groupes, discutez.

Petit poisson deviendra grand.

Jean de la Fontaine

J'aime bien les animaux domestiques mais pas chez moi.

Roland Topor

Appeler un chat, un chat.

Nicolas Boileau

Donnez un poisson à un homme, il mangera un jour.
Apprenez-lui à pêcher, il mangera toute sa vie.

Proverbe chinois

Le chien est le meilleur ami de l'homme.

Inconnu

Comprendre

• Observez le schéma, page 92, lisez les informations et répondez aux questions.
a. Qu'est-ce qu'un *ménage* ?
☐ plusieurs personnes qui font le ménage dans une maison
☐ une famille qui vit dans une maison
☐ plusieurs personnes qui vivent dans une même maison

b. Comment expliquez-vous que 27 % des personnes possèdent un chat contre 24,1 % un chien ?
☐ des appartements souvent plus petits
☐ avoir un chat coûte moins cher qu'avoir un chien
☐ pas de jardin
☐ le chat est plus intelligent et autonome que le chien

c. Après l'achat de l'animal domestique et celui de sa nourriture, qu'est-ce qui coûte le plus cher quand on a un chien ?
☐ soins médicaux
☐ jeux-dvd
☐ vêtements

Écrire

Dans votre pays, est-ce que les gens on t souvent un chien ou un chat à la maison ? Rédigez un court article.

Je prononce

1. Suite de consonnes – Écoutez et répétez.
[s] Qu'est-ce qui se passe ici ? – [v] Je vous ai vu, voyou ! – [t] C'est ton tout petit toutou.

2. Intonation : la colère, la protestation. Écoutez et répétez.
Ça c'est trop fort ! – Pas du tout ! – Madame, s'il vous plaît ! – Mais non, enfin ! – C'est tout !

J'APPRENDS ET JE M'ENTRAÎNE

Grammaire

• **La concordance des temps (2)**
Attention ! Il faut bien regarder à quel temps est le verbe qui introduit le discours indirect. Au présent ou au passé ?
– « Vous voulez kidnapper mon chien ! Voyou ! »
→ Elle **dit** que je **veux** kidnapper son chien.
→ Elle **a dit** que je **voulais** kidnapper son chien.
→ Si le verbe « introducteur » est à un **temps du passé** (imparfait, passé composé...), **le présent devient imparfait** dans la proposition après « que ».

• **Le gérondif (rappel)**
En sortant des toilettes, j'ai vu cet homme...
(= Quand je suis sortie des toilettes...)

• **être en train de...** + infinitif (action qui se déroule)
J'étais **en train de** lire un magazine.
– Qu'est-ce que tu fais ? – Je suis **en train de** lire.

• **La phrase négative (suite) : ne ... rien ; ne ... personne**
Attention à la place de la négation :

–**pas**	Je ne bois **pas**	Je n'ai **pas** bu	Je ne veux **pas** boire
–**rien**	Je ne bois **rien**	Je n'ai **rien** bu	Je ne veux **rien** boire
–**jamais**	Je ne bois **jamais**	Je n'ai **jamais** bu	Je ne veux **jamais** boire
–**plus**	Je ne bois **plus**	Je n'ai **plus** bu	Je ne veux **plus** boire

→ La place de la seconde négation est la même dans ces quatre cas.

–**personne**	Je ne vois **personne**
	Je n'ai vu **personne**
	Je ne veux voir personne

⚠ Personne est **toujours en dernière position**.

---

1 Écoutez et cochez la bonne réponse.

La personne	a	b	c	d	e	f
est surprise ?						
se moque ?						
est en colère ?						

2 Un policier arrive...

Il voit Madame Foenkinos et un monsieur en train de se disputer. Il interroge le monsieur. Imaginez les réponses en utilisant : *ne... pas, ne... rien, ne... jamais, ne... plus, ne... personne.*

a. Est-ce que vous habitez dans le quartier ?

....

b. Est-ce que vous avez déjà rencontré Madame Foenkinos ?

....

c. Est-ce que vous avez vu des gens près du chien ?

....

d. Est-ce vous avez essayé de kidnapper le chien de Madame Foenkinos ?

....

e. Quelle est votre conclusion de l'histoire ?

....

UN ANIMAL
NE PLEURE PAS...
Il souffre en silence.

STOP À L'ABANDON – 30millionsdamis.fr
Retrouvez-nous aussi sur : App Store Android Market

FONDATION 30 MILLIONS D'AMIS

**Le policier interroge Madame Foenkinos.
Voici ces réponses. Rédigez les questions.**

a. .... ?
Non, je n'ai rien bu au Café des Sports.

b. .... ?
Non, je ne donnerai jamais mon chien à la SPA.

c. .... ?
Non, je ne l'ai pas frappé.

d. .... ?
Non, je ne laisserai plus mon chien seul dans un endroit public.

3 En sortant...

Transformez en utilisant le gérondif.

Exemple : Quand je suis sortie, j'ai vu cet homme avec mon chien. → En sortant, j'ai vu cet homme avec mon chien.

a. J'ai rencontré Alex quand je suis arrivée à l'université. → ....

b. Quand tu partiras, n'oublie pas de fermer la porte. → ....

c. Il a perdu sa carte bleue quand il est allé au supermarché. → ....

d. Quand elle s'est réveillée, Hélène a vu que la jeune fille n'était plus là. → ....

e. Elle a emporté pas mal de chose quand elle est partie. → ....

f. Quand elle a vu ça, Hélène était très triste. → ....

4 Lisez et répondez aux questions.

Les animaux de compagnie

Aujourd'hui en France, plus d'un Français sur deux a un animal de compagnie (52 %). C'est moins qu'aux États-Unis (63 %) mais un peu plus qu'en Grande-Bretagne ou en Allemagne.

Les Français ont surtout des chiens et des chats. Il y a en France environ dix millions de chats et neuf millions de chiens. Mais n'oublions pas les lapins, les souris blanches, les hamsters, les tortues, les oiseaux (huit millions) et les poissons rouges !

L'économie liée aux animaux va très bien ! Les Français dépensent des milliards d'euros pour les nourrir, les soigner, les toiletter… Il existe même des psychologues spécialisés dans les troubles du comportement animal…

Depuis 1860, la Société protectrice des animaux (SPA) vérifie que les animaux sont bien traités. Elle accueille les chiens et les chats perdus ou abandonnés.

a. D'après le texte, quels sont les animaux de compagnie préférés des Français ?

b. Quels sont les autres animaux domestiques cités dans le texte ? Aimeriez-vous en avoir chez vous ?

c. Est-ce qu'il existe une SPA dans votre pays ?

d. En petits groupes, donnez les cinq points positifs et les cinq points négatifs d'avoir un animal de compagnie.

Animal
à bord

a. Est-ce que vous avez un animal de compagnie ?
b. Est-ce que vous partez en vacances avec votre animal ?

Préparer son voyage avec son animal

Il existe des guides que l'on peut acheter ou consulter gratuitement sur Internet.
Ils donnent des informations indispensables pour des vacances sans problème.

Quelques formalités à connaître pour voyager à l'étranger avec son animal de compagnie. Votre animal doit être identifié, avec une puce électronique. Il doit avoir un passeport européen et être vacciné contre la rage.

Un chien à la mer !

Qu'en pensent les spécialistes : Emmener son chien à la plage, c'est une excellente idée ! Mais attention, beaucoup de plages surveillées sont interdites aux chiens durant les périodes touristiques. Renseignez-vous avant de partir !

Quelques règles à respecter :
– Ne laissez jamais votre chien en liberté sur la plage.
– Protégez votre chien du soleil. Faites-le boire souvent.

À l'hôtel avec son compagnon !

Attention peu d'hôtels acceptent les animaux de compagnie. Les petits animaux sont plus facilement acceptés mais il faut parfois payer la nuit plus cher.

À savoir : pour trouver un lieu de vacances qui accepte les animaux de compagnie, téléchargez gratuitement l'application Smartphone « 30 millions » sur l'Apple store ou sur Android.

Mais pas de vacances pour certains !

Chaque année, de très nombreux animaux sont abandonnés avant les vacances d'été ! Qu'est-ce que vous en pensez ? Discutez en petits groupes.

Petit sondage.

	Pour	Contre
La présence de chien sur les plages.		
Des hôtels de compagnie réservés aux propriétaires d'animaux de compagnie.		
Faire payer plus cher les campings pour les vacanciers et leur chien.		
La puce électronique.		

Compréhension orale

1 Écoutez la réponse du journaliste et cochez la question qui correspond.

a. ☐ Bonjour. Qu'est-ce qu'il faut faire pour adopter un petit chien à la SPA ?

b. ☐ Bonjour. Je voudrais élever un petit crocodile. Quelles démarches faut-il faire ?

c. ☐ Bonjour, j'ai un petit renard de trois mois chez moi. Est-ce que c'est légal ?

Grammaire

2 Parmi ces cinq phrases, une phrase n'est pas négative. Laquelle ?

a. Je lui ai écrit plusieurs fois mais il n'a jamais rien répondu.

b. Elle est déjà célèbre et pourtant, elle n'a que dix-sept ans et demi.

c. Il a un caractère difficile, il ne s'entend avec personne !

d. Personne n'a téléphoné pendant que j'étais absent ?

e. Il faut faire des courses, il n'y a plus rien dans le réfrigérateur.

3 Répondez en utilisant la forme négative qui convient : *ne ... pas* (ou *ne ... pas du tout*), *ne ... pas encore, ne ... plus, ne ... rien, ne ... personne, ne ... jamais...* (Attention à la place de la négation !)

a. Vous avez rencontré quelqu'un ce matin ? – Non, ...

b. Tu as acheté quelque chose pour le dîner ? – Non, ... On va dîner dehors ?

c. Il pleut souvent en Somalie ? – Non, malheureusement, ...

d. Ta fille habite encore chez vous ? – Non, ... depuis deux ans.

e. Quelqu'un t'a aidé à faire ton travail ? – Non, ..., je l'ai fait tout seul.

f. Tu aimes bien la salsa ? – Moi, oui mais mon copain ....

g. Vous êtes déjà allés en Amérique du Sud, n'est-ce pas ? – Non, ...
mais nous avons bien envie d'y aller l'année prochaine.

4 Passez du style direct au style indirect.

Voici un message de Mme Auroux pour l'émission de radio « Nos amis à quatre pattes ».

« J'ai un chat et je veux l'emmener en vacances en Grèce. Il est déjà vacciné contre la rage. Est-ce qu'il doit avoir un passeport ? »

Et voici ce que dit le journaliste de cette émission :

Chers auditeurs, bonjour. Quelques messages tout d'abord. Une auditrice de Marseille nous a écrit pour nous

expliquer qu(e) .... et qu(e) ....

Elle a précisé qu'il .... et elle nous a demandé s'il ....

....

La réponse est oui. Oui, madame, votre chat doit absolument avoir un passeport en règle.
Je vous signale que depuis le 1er janvier 2009, le passeport est devenu le seul document officiel qui certifie
que votre animal n'a pas la rage.

Compréhension écrite

5 Lisez et répondez aux questions.

> **Les animaux familiers en France**
>
> En 2011, en France, plus de 60 millions de chiens, chats, oiseaux, poissons et petits mammifères partagent la vie des familles.
>
> Il y a sept millions et demi de chiens. Ce nombre est en baisse (– 3 % par rapport à 2008) alors que la population de chats a augmenté de 2,6 % entre ces deux dates. Il y en a environ onze millions.
>
> Il y a de moins en moins de poissons (mais plus de trente millions quand même) ; n'oublions pas que c'est difficile de comptabiliser des poissons dans un aquarium !
>
> En revanche, le nombre des oiseaux repart à la hausse. Il a retrouvé son niveau de 2004. La crise liée aux maladies transmises par les oiseaux est oubliée !
>
> Le nombre des petits mammifères (souris blanches, hamsters, etc.), avec leurs 3 millions d'individus, a nettement diminué par rapport à 2008 (de 7 % environ).

a. Remplissez ce tableau.

En augmentation	En diminution
....	....
....	....

b. Pourquoi, après 2004, le nombre des oiseaux familiers avait baissé ?

....

c. À votre avis, comment peut-on expliquer la diminution du nombre des chiens ?

....

Compréhension et expression écrites

6 Lisez ce texte et répondez à la question.

Est-ce que vous auriez envie d'avoir une poule ou un canard chez vous ? Justifiez votre réponse en deux lignes.

....

....

Vous en avez assez des animaux domestiques traditionnels, chiens, chats ou canaris ? Et si vous adoptiez une poule ? Ou bien un canard ?

Les poules sont de charmants animaux, elles ne sont presque jamais malades, peuvent vivre 7 ou 8 ans et offrent de nombreux avantages : d'abord, elles vous donnent des œufs frais tous les matins, elles vous servent de tondeuse à gazon, et mangent les limaces, limaçons et autres bestioles nuisibles. Elles sont gentilles et vous pouvez facilement les caresser. Elles sont faciles à nourrir : quelques grains de blé ou de maïs, du vieux pain... Bien sûr, il vous faut un petit bout de jardin. Les poules en appartement, ce n'est pas l'idéal !

Expression écrite

7 On pense de plus en plus que les animaux peuvent aider certains malades, par exemple les enfants autistes ou les malades d'Alzheimer. Qu'est-ce qu'un animal peut apporter à ces personnes, à votre avis ? Répondez en cinq ou six lignes.

Bilan actionnel

Évaluez-vous

1 Transformez les phrases au discours indirect.

a. Son mari lui dit : « Je refuse le divorce ! »
b. Elle raconte aux journalistes : « Ma passion, je l'ai rencontrée sur Internet. »
c. Il répète à son amie : « Je t'ai toujours dit la vérité. »
d. Ils déclarent : « Les chiens ont été abandonnés sur la route des vacances. »
e. Il est écrit : « Les animaux ne sont pas autorisés dans l'hôtel. »

Je suis capable de passer du discours direct au discours indirect : ❏ oui, ❏ pas encore.

2 Lisez et cochez *Vrai* ou *Faux*.

Arrivée à Paris l'an dernier, je ne connaissais personne. Personne ne m'adressait la parole. Cette situation n'était pas agréable. Aujourd'hui, je ne suis toujours pas bilingue, mais ça va mieux. Je n'ai plus envie de rentrer à la maison cet été. Mais, tu peux venir, si tu veux...
À bientôt, Sabine

	Vrai	Faux
a. « Personne » peut être sujet ou complément.	❏	❏
b. On prononce toujours les doubles négations.	❏	❏
c. Après « personne », on trouve toujours « ne ... pas »	❏	❏

Je suis capable de formuler un discours à la forme négative :
❏ oui, ❏ pas encore.

Action

Vous êtes journaliste. Vous recevez trois sms sur des faits divers. Vous en choisissez un. Et vous rédigez un court article.

Vol bijoux / Bruxelles / « rien vu, rien entendu » (passants) / 250 000 euros volés / pas de piste (policier) / individus masqués / complices ? / alarme inactive

Accident / un blessé / 11h30 autoroute du sud / « je n'ai rien fait, ce n'est pas moi » (chauffeur) / « pas de témoin » (policier) / neige + brouillard (= cause ?) / un blessé / vie pas en danger

Célébrité / concerts et cd annulés / pas de déclaration presse / problème santé ou famille ?/ dernier album mal vendu / retraite ?

Apprendre à partager

Cherche coloc' désespérément

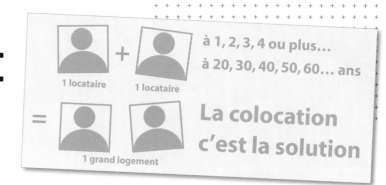

à 1, 2, 3, 4 ou plus…
à 20, 30, 40, 50, 60… ans

La colocation c'est la solution

1 locataire + 1 locataire = 1 grand logement

JE COMPRENDS ET JE COMMUNIQUE

1

Bonjour, ma coloc' va bientôt partir. Je cherche une nouvelle personne pour la remplacer. Mon appartement de 4 pièces est situé à Boulogne, à 5 minutes du métro. Écrire à l'agence qui transmettra. colocation@repondre.fr

Cherche colocataire dans maison de ville à 1 heure de Paris (banlieue ouest). Proche commerces et gare SNCF. Écrire à Laurent78@laposte.net

2 Enquête sur la colocation

De plus en plus de gens choisissent de partager un logement ou une maison. Choix de vie ou manière de faire des économies, la colocation – c'est son nom – séduit, mais ce n'est pas toujours simple de trouver les bons colocataires.

Moi, j'ai un nouveau locataire dans mon appartement. C'est très sympa d'avoir quelqu'un avec qui discuter le soir en rentrant. Mais, le coloc' parfait n'existe pas. Paul, lui, il est sympa mais il ne range rien dans la cuisine, et surtout, il fume. Vous imaginez, je ne supporte pas l'odeur de la cigarette. Je ne dis rien, parce qu'il fume seulement dans sa chambre et puis moi aussi j'ai mes défauts. Je rentre assez tard parce que j'ai des cours le soir. Alors, quand je rentre, je mange et j'écoute de la musique un peu fort, mais le bruit ne le dérange pas trop, je crois. Je sais, ce n'est pas une excuse. Je ne l'ai jamais vu se mettre en colère… Ce n'est pas son style… L'important quand on partage un logement, c'est d'avoir un espace à soi, et de ne pas déranger l'autre.

Avec ma femme, on habite dans une grande maison près de Rouen. Il y a deux appartements. On a de nouveaux locataires au rez-de-chaussée. Ils exagèrent. Ils n'ont pas dû comprendre qu'ils ne sont pas seuls. Ils se moquent des autres et je vais porter plainte si ça continue. Ils ne doivent pas être assez sévères : les enfants crient, pleurent, hurlent, se disputent. Ce n'est pas normal ! Le pire, c'est le chien qui aboie. Nous, en haut, on entend tout et on n'en peut plus. Ça suffit à la fin. Vivre ensemble, ça veut dire aussi respecter les autres et faire des efforts.

Vocabulaire

• Verbes
aboyer
déranger
discuter avec quelqu'un
se disputer
exagérer
fumer
se moquer (de quelque chose ou quelqu'un)
partager
ranger

• Noms
un bruit
une cigarette
une colère
un colocataire
un défaut
une enquête

une excuse
un locataire
une odeur
un style

• Adjectifs
normal
nouveau
pire

• Manières de dire
Ça suffit à la fin...
se mettre en colère
On n'en peut plus
(= c'est devenu trop difficile à supporter)
Le pire, c'est...
porter plainte (contre quelqu'un)

Écouter

• **Écoutez les témoignages, page 102, et cochez la phrase entendue.**

a. ☐ De plus en plus de gens choisissent de partager un logement.
☐ De moins en moins de gens choisissent de partager un logement.

b. ☐ Le coloc' parfait n'est pas sympa.
☐ Le coloc' parfait n'existe pas.

c. ☐ J'écoute de la musique un peu fort.
☐ Je n'aime pas la musique quand c'est fort.

d. ☐ Ils n'ont pas dû comprendre qu'ils ne sont pas seuls.
☐ Ils ont dû comprendre qu'ils étaient bien seuls.

e. ☐ On entend tout et on n'en peut plus.
☐ On ne s'entend plus et ça nous a plu.

! Comprendre

• **Écoutez les témoignages, page 102, puis répondez aux questions.**

a. Qu'est-ce que Gérard reproche à ses nouveaux locataires ?
b. Quels sont les défauts de Paul selon Émilie ?
c. Quelles sont les habitudes d'Émilie lorsqu'elle rentre de l'université ?

Communiquer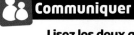

Lisez les deux annonces et répondez en expliquant pourquoi vous êtes un bon locataire.

Toulouse

Écrire

Lisez l'article. Vous aimez l'idée de cohabiter avec une personne âgée. Vous écrivez une lettre où vous présentez vos qualités et où vous expliquez pourquoi vous êtes un(e) locataire idéal(e).

> **Colocation revue en ligne**

Article posté le 12 mai. 13h50.

L'idée de partager un logement n'est pas récente. Aurélie, étudiante à l'université de Toulouse, a décidé de partager son logement avec une personne âgée. Ce n'est pas seulement, nous dit-elle, un moyen de faire des économies sur le logement, mais aussi une manière de se sentir utile et encore un peu à la maison ».

De son côté, Colette, 82 ans, ne voit que des avantages. La maison, trop grande depuis la mort de son mari, est redevenue vivante. Colette peut enfin sortir de sa solitude et parler à quelqu'un le soir, quelqu'un qui peut l'aider dans sa vie de tous les jours.

Je prononce

• **Les sons [ø] et [y]** - Écoutez et répétez :
veut – tu en veux – tu n'en veux plus – peux – tu peux – on n'en peut plus
Attention aux voyelles nasales :
[ɔ̃] : on, maison, mon, contre...
[ɛ̃] : voisin, chien, plaindre, enfin, sympa...
[ɑ̃] : appartement, entend, important, dérange...

• **Rythme : l'énumération** - Écoutez et répétez :
Je rentre, je mange, je range, j'écoute de la musique. – Ils crient, pleurent, hurlent.

• **Intonation : la colère, le dépit** - Écoutez et répétez :
On n'en peut plus ! Ça suffit à la fin !

J'APPRENDS ET JE M'ENTRAÎNE

Grammaire

• **Les pronoms compléments d'objet indirect (COI)**

• Avec certains verbes construits avec « à » (préposition) comme « penser à, s'habituer à, tenir à... »

– Si le complément est une **personne**, on garde la préposition « à » + pronom tonique (moi, toi, lui, elle, nous, vous, eux, elles).

Il pense à son voisin. → *Il pense à **lui**.*

Elle s'habitue à ses nouveaux locataires. → *Elle s'habitue à **eux**.*

– Si le complément est une **chose**, on utilise le pronom « y ».

Elles s'habituent aux bruits et aux odeurs. → *Elles s'**y** habituent.*

• Avec certains verbes construits avec « de » comme « parler de, se moquer de, se plaindre de... ».

– Si le complément est une **personne**, on garde « de » + pronom tonique.

Il parle de ses nouveaux locataires. → *Il parle d'**eux**.*

Il se plaint de Paul. → *Il se plaint de **lui**.*

– Si le complément est une **chose** on utilise le pronom « en ».

*Il se plaint de la fumée. Il s'**en** plaint.*

• **Le verbe** *devoir.*

Vous avez déjà rencontré ce verbe avec le sens de **l'obligation** (*il est tard, je **dois** partir*), mais « devoir » a parfois un autre sens. Observez les phrases suivantes :

*Ils n'**ont** pas dû comprendre qu'ils ne sont pas seuls.*

*Ils ne **doivent** pas être assez sévères.* (supposition/probabilité)

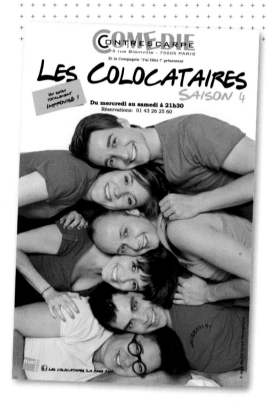

1 Dis-moi.

Observez les exemples, puis complétez.

*Exemples :   Qu'est-ce que je peux faire ? Expliquez-moi **ce que** je peux faire.*
*Qu'est-ce qui arrive ? Je voudrais savoir **ce qui** arrive.*

a. Qu'est-ce que font tes voisins ? Dis-moi ....

b. Qu'est-ce qu'ils font ? Explique-moi ....

c. Qu'est-ce que tu leur reproches ? Je voudrais bien savoir ....

d. Qu'est-ce qui leur arrive ? Tu sais ....

e. Qu'est-ce que tu vas faire ? Dis-moi ....

f. Qu'est-ce que tu leur as dit ? J'aimerais savoir ....

2 Tu dois...

Cochez les verbes qui expriment une obligation.

a. Tu <u>dois</u> porter plainte absolument.

b. Tu <u>dois</u> faire un effort, c'est indispensable.   ☐

c. Il n'est pas dans sa chambre. Il <u>doit</u> être parti.   ☐

d. La porte est ouverte, elle <u>doit</u> être chez elle.   ☐

e. Ils <u>doivent</u> avoir des enfants, j'entends des hurlements toute la journée.   ☐

3 Le bon pronom

Cochez la forme qui convient.

a. Mon voisin est vieux. Nous nous occupons ❏ d'eux ❏ de lui.

b. Il pose des questions sur Paul. Il parle beaucoup ❏ d'elle ❏ de lui.

c. Je suis médecin. C'est très bien pour ma voisine qui a souvent besoin ❏ de lui ❏ de moi.

d. Les gens du bas sont bruyants. Nous nous plaignons souvent ❏ d'eux ❏ d'elles.

e. Il passe son temps à fumer. Je me moque ❏ de vous ❏ de lui.

4 Reliez.

a. Tu penseras aux courses ce soir ? •

b. Qu'est-ce que tu en penses, toi ? •

c. Elle pense souvent à son copain ? •

d. Vous penserez à vos amis brésiliens ? •

e. Qu'est-ce que tu penses de Manu ? •

• **1.** Je pense que c'est une très bonne idée !

• **2.** Je penserai à eux, je leur écrirai.

• **3.** Je pense qu'il est un peu jeune mais sympa.

• **4.** Oui, elle pense à lui nuit et jour !

• **5.** Mais oui, j'y penserai, bien sûr.

5 Locataire mécontent

Vous gérez un immeuble. Rédigez un courrier aux habitants de l'immeuble pour leur rappeler leurs devoirs.

Exemples : pas de bruit après 22 h, po ubelles à sortir, attention aux portes qui claquent, fermer la porte d'entrée...

6 La fête des voisins

Quel est l'objectif de cette manifestation ? Ce type d'événement existe-t-il chez vous ? Discutez en petits groupes.

À deux, c'est mieux !

JE COMPRENDS ET JE COMMUNIQUE

■ Ça passe ou ça pacs ?

En France aujourd'hui, les gens sont de moins en moins nombreux à vivre en union libre : le mariage redevient à la mode. Mais c'est surtout le nombre de pacs qui augmente. Le pacs est un contrat qui permet, depuis 1999, à deux personnes, d'organiser leur vie commune sans se marier. Que pensent les Français de ce succès ?

Je connais ma femme depuis 20 ans, alors se marier c'était une évidence. C'est mieux pour elle aussi. C'est un lien symbolique, avec l'église, la cérémonie et tout le chichi. Et puis vous savez, on finira notre vie ensemble...

Moi, je trouve que le pacs c'est plus simple que le mariage officiel. Laurent et moi, on est allés au tribunal de notre ville et en trente minutes, c'était fait. Moi je n'avais pas envie de robe ni fête. Laurent ne voulait pas de fête avec toute la famille. Et casser un pacs, c'est simple.

Oui, et puis comme ça, on paie moins d'impôts...

Moi, c'est un contrat de mariage ou rien du tout. Je veux me marier, faire une grande fête avec tous mes amis. C'est le plus beau moment dans une vie. Un pacs, je trouve que c'est moins fort.

J'ai été marié et puis on a divorcé il y a trois ans, c'est la vie, ça arrive. Mais ça m'a coûté très cher cette histoire ! Ça a été terrible, surtout pour les enfants. Alors, c'est certain, moi, si je retrouve une femme, c'est le pacs... Moins de formalités et plus de liberté.

Ni mariage, ni pacs, c'est mon choix.

Vocabulaire

• Verbes
casser
diminuer
divorcer
se marier
se pacser
(se) sentir
(re)trouver

• Noms
le choix
le contrat
la formalité
l'impôt
le mariage
le nombre
le succès

• Adjectifs
compliqué(e)
officiel(le)
simple

• Manières de dire
Ça me fait peur. / Ça fait peur.
C'est terrible !
Tout le chichi
Vous savez.

• Mot invariable
ni

Écouter

• Écoutez le reportage, page 106, et cochez la bonne réponse.

a. Se pacser est plus simple que se marier. ☐ Vrai ☐ Faux
b. Laurent souhaitait un mariage en famille. ☐ Vrai ☐ Faux
c. Noémie n'avait pas envie de faire la fête. ☐ Vrai ☐ Faux
d. Se marier coûte cher. ☐ Vrai ☐ Faux

! Comprendre

• Lisez le reportage, page 106, et répondez aux questions.

a. Qu'est-ce qu'un pacs ? Il y a des contrats similaires dans votre pays ?
b. Quels sont les avantages du pacs, selon les personnes interrogées ?
c. Quelles sont les motivations des partisans du mariage ?

Communiquer

Observez les deux camemberts et commentez-les avec votre voisin.

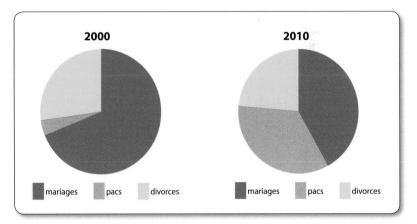

Écrire

Vous allez vous marier. Votre meilleur(e) ami(e) est contre le mariage. Écrivez-lui pour lui expliquer votre décision.

Je prononce

• Respectez le nombre de syllabes.
Écoutez et répétez :
1. C'est l(e) plus simple. (3) – C'est le plus simple. (4)
2. J(e) n'ai pas envie. (4) – Je n'ai pas envie. (5)
3. J(e) veux m(e) marier. (3) – Je veux me marier. (5)
4. J(e) déteste les formalités. (7) – Je déteste les formalités. (8)

J'APPRENDS ET JE M'ENTRAÎNE

Grammaire

- **La négation** *ne... ni... ni*
  - avec des adjectifs : *Elle **n'**est **ni** pacsée, **ni** mariée.*
  - avec des adverbes : *Ce **n'**est ni près, **ni** loin.*
  - avec des noms :
  *Ce **n'**est **ni** ma femme, **ni** ma conjointe.*
  - avec des prépositions :
  *Je **ne** peux vivre **ni** avec elle, **ni** sans elle.*
- **L'interrogation avec inversion du sujet/verbe**
  - *Êtes-vous heureux ensemble ? Quand êtes-vous arrivés ?* (interrogation avec inversion du sujet/verbe)
  Rappel :
  - *Vous êtes arrivés quand ? Tu vis seul ou en couple ?* (intonation montante)
  - *Est-ce que vous êtes mariés ? Est-ce que vous voulez vivre avec moi ?* (Interrogation avec *Est-ce que... ?*)

- **Des outils pour comparer**
  *Cette femme vit **aussi bien que** moi. On se marie **moins qu'**avant. Il y a **plus** de pacs **qu'**en 1999. Il y a presque **autant de** divorces que de mariages.*
  - *moins/plus/aussi* + adjectif + *que*
  Il est moins beau que mon mari.

  ⚠️ *aussi + bien = mieux et plus + bon = meilleur*

  - verbe + *moins/plus/autant (de)* + *que*
  *Cela augmente **plus que** le nombre de mariages.*
  - nom + *moins/plus/aussi* + adjectif + *que*
  *Elle a un mari **plus** généreux **que** le mien.*
- **Le pronom** *chacun, chacune...* (= *chaque personne*)
  ***Chacun** est libre de faire comme il veut.*

1 Voulez-vous... ?

Écoutez et cochez la phrase interrogative entendue.

a. ❏ Tu vis chez tes parents ?   ❏ Vis-tu chez tes parents ?

b. ❏ Vous viendrez à notre petite fête ?   ❏ Viendrez-vous à notre petite fête ?

c. ❏ Elle comprendra un jour, dis ?   ❏ Comprendra-t-elle un jour, dis ?

d. ❏ Tu veux m'épouser, oui ou non ?   ❏ Veux-tu m'épouser, oui ou non ?

e. ❏ Vous voulez des fleurs rouges ou blanches ?   ❏ Voulez-vous des fleurs rouges ou blanches ?

2 Je (ne) suis (pas) d'accord...

**Que pensez-vous de ces affirmations ?
Répondez en argumentant.**

Exemple : Les enfants dorment moins longtemps que les adultes.
→ *Je ne suis pas d'accord, ils dorment plus de 10 heures par jour.*

a. On vit moins longtemps qu'avant dans nos sociétés modernes.

b. Les jeunes vivent de plus en plus souvent seuls.

c. Le français est plus facile à apprendre que l'anglais.

d. Les jeunes habitent plus longtemps chez leurs parents qu'avant.

e. On mange autant de poisson que de viande dans notre pays.

3 Reliez.

Retrouvez les phrases qui ont le même sens.

a. Il y en a de moins en moins.   **1.** Cela a augmenté.

b. Cela a doublé.   **2.** Cela va de moins en moins bien.

c. Il y en a de plus en plus.   **3.** Cela diminue.

d. C'est de pire en pire.   **4.** Cela n'a pas changé !

e. Il y en a autant qu'avant.   **5.** Deux fois plus de gens se pacsent.

4 Répondez aux questions.

Utilisez une phrase à la forme négative.

a. Vous envisagez de divorcer ?
b. Tu as rencontré quelqu'un dans le métro ?
c. Vous connaissez quelqu'un à Paris ?
d. Vous reprendrez bien un peu de fromage ?
e. Ils se marient à Londres ?
f. Vous êtes pacsés ?

5 Faire-part et invitation : mode d'emploi

Lisez le texte et cochez *Vrai* ou *Faux*.

La tradition veut que les grands-parents puis les parents des futurs mariés annoncent le mariage. Le faire-part indique les prénoms des mariés, la date, l'heure et le lieu de la cérémonie civile et/ou religieuse. Sur les cartons d'invitation, ce sont les mères des mariés qui invitent au vin d'honneur et/ou au dîner.

Bien sûr, vous pouvez annoncer et convier personnellement vos invités.

N'oubliez pas d'indiquer sur votre invitation une date de réponse souhaitée, idéalement un mois avant, et un plan vers les différents lieux de votre mariage ainsi qu'une liste des hôtels et chambres d'hôtes.

Prévoyez des délais assez larges pour l'impression et la réalisation de vos faire-part et invitations. Envoyez-les plus tôt si vous vous mariez à l'étranger ou que vos invités habitent loin, ils pourront s'organiser plus facilement.

	Vrai	Faux
a. Les futurs mariés adressent les invitations.	☐	☐
b. Une invitation ou un faire-part, c'est la même chose.	☐	☐
c. Les parents choisissent les invités.	☐	☐
d. Il faut prévoir plus d'invitations que de faire-parts.	☐	☐
e. Il faut s'organiser à l'avance.	☐	☐

6 Et dans votre pays ?

En petits groupes, choisissez une photo, décrivez-la puis discutez ensemble.

a.

b.

c.

d.

C'est la crise !

> Et si la crise d'adolescence était une chance ?

> Famille : quand la crise d'ado devient rupture

> Mon père fait sa crise d'adolescence

> Ados, que faire ?

■ Lui, c'est tout, tout de suite.

> Salut Pierre. Désolée pour le retard, mais c'est Théo... Il est impossible en ce moment, il fait sa crise d'adolescence. C'est l'horreur !

> Théo ? Non... Raconte !

> Il a un comportement vraiment insolent... Il ne fait que regarder la télé, il passe des heures sur Internet ou sur facebook. Ses notes vont baisser au prochain trimestre. C'est sûr ! Et la musique à fond dans la chambre jusqu'à deux heures du matin... Je n'en peux plus.

> Tiens, ça me rappelle des souvenirs... Ce n'est pas mieux avec Laure tu sais. Les ados, c'est tous les mêmes !

> Moi, en tout cas, ça suffit, je ne peux plus rien dire. Tout ce que je dis, il le critique. Ce n'était pas pareil chez toi, quand même !

> Bah, ça passera. Laure, elle était toujours de mauvaise humeur, elle n'ouvrait pas la bouche et ne voulait aller nulle part... Garde ton calme ne t'inquiète pas trop, ça passera.

> Hum.... Je ne vais pas accepter ça encore longtemps. À chaque fois que je lui fais une remarque, il explose !

> On est tous passés par là tu sais... Tu ne t'en souviens pas, c'est tout.

> Quoi ??? Moi je ne claquais pas la porte quand le frigo était vide et je ne faisais pas une scène pour avoir le dernier téléphone portable... Lui, c'est tout, tout de suite. J'étais quand même plus facile avec mes parents... Là, c'est l'horreur !

> Allez, sois patiente.

Vocabulaire

• Verbes
baisser
claquer
critiquer
devenir
(s) enfermer
se rappeler (qqch ou qqn)
s'inquiéter
se souvenir de (qqch ou qqn)

• Noms
l'adolescence
un(e) adolescent(e)
[= un(e) ado]
le collège
un comportement
une crise
une note
une remarque

• Adjectifs
insolent(e)
patient(e)

• Mots invariables
en ce moment
nulle part

• Manières de dire
C'est l'horreur !
Ça passera. / Ça va passer.
Ça suffit !
être de bonne/mauvaise humeur
en ce moment
faire une scène
ne plus en pouvoir de (qqch ou qqn)
le dernier téléphone portable (= à la mode)

Écouter

• Écoutez le dialogue, page 110, et cochez les phrases que vous entendez.

a. ❑ Il fait sa crise d'adolescence. C'est l'horreur.
  ❑ Il est dans sa crise d'ado, c'est l'horreur.
b. ❑ Il a un comportement vraiment insolent.
  ❑ Il a un comportement vraiment pertinent.
c. ❑ Je n'en peux plus.
  ❑ Je n'en veux plus.
d. ❑ On est tous passés par là.
  ❑ On n'est pas tous passés par là.
e. ❑ J'étais quand même plus facile avec mes parents.
  ❑ J'étais quand même plus difficile avec mes parents.

Comprendre

• Écoutez le dialogue, page 110, et répondez aux questions.
a. Quels sont les principaux reproches que Laurène fait à Théo ?
b. Quels conseils est-ce que Pierre donne à son amie ?
c. De quoi Laurène a peur ?

Communiquer

Décrivez à votre voisin le dessin humoristique et discutez.

Écrire

Nadine se plaint de son collègue de travail. Vous lui répondez par e-mail en lui donnant un ou deux conseils.

Tu verrais Paul, c'est une horreur.
Mal rasé, toujours mal habillé, pas propre.
Avec ses cigarettes, c'est une horreur.
Quelle odeur terrible !
Je ne sais pas comment lui dire.
En plus, il partage mon bureau.

Je prononce

• Les sons [l] et [r] – Écoutez et répétez :
salut Julie – là c'est l'horreur – ce qu'il avale à la télé – le frigo n'était pas rempli – le dernier téléphone

• Voyelles nasales – Écoutez et répétez :
[ɛ̃] mien(s) – impossible – inquiéter – prochain – internet – matin
[ɔ̃] son conseiller – raconte – à fond – discussion – comportement
[ã] quand – parent – chambre – vraiment – insolent – comportement – ressentir

• Écoutez et répétez en respectant le rythme et l'intonation (dépit, ironie, colère).
Tiens, ça me rappelle des souvenirs. – Lui, c'est tout, tout de suite. – Je ne te raconte pas la baisse des notes. – Moi, en tout cas, ça suffit.

J'APPRENDS ET JE M'ENTRAÎNE

Grammaire

- **Exprimer une restriction**
  Il **ne** pense **qu'**à facebook et à Internet.
  Il **ne** fait **que** rêver.
  Il **n'**aime **que** la musique électronique.
  Ne... que (ou *n'... que / ne... qu'...*) n'est pas une double négation comme *ne... pas* ou *ne... plus*, mais une **restriction**.(On peut le remplacer par *seulement* ou *uniquement*.)

- **Il y a plusieurs « tout » !**
  tout(e) adjectif / **tout(e)** pronom / **tout** pronom indéfini / **tout** adverbe
  - **tout(e) / tous (toutes)** adjectif :
    *Tu connais **tous** mes copains.*
    (Attention, dans ce cas, *tous* se prononce [tu].)
  - **tout(e) / tous (toutes)** pronom :
    *Tes copains ? Non, je ne les connais pas **tous** !*
    (Attention, dans ce cas, *tous* se prononce [tus].)

- **tout** pronom indéfini (= toutes les choses, tout ça) :
  *Il critique **tout**. **Tout** est difficile avec les ados.*
  - **tout** adverbe (= très) :
    *Ses copains habitent **tout** près de chez nous.*

- **Un mot passe-partout : « ça »**
  *Si **ça** continue, j'arrête* (si le comportement est le même). *Moi, en tout cas, **ça** suffit* (la situation). *Bah, **ça** passera* (ces difficultés, son comportement). *Au moins, **ça** bouge chez vous* (les choses).
  Ça a de nombreuses significations. Il reprend en général la notion ou le thème évoqué précédemment. Est-ce que ce mot serait traduit, dans votre langue, de manière identique dans toutes ces phrases ?

---

1 Écoutez et cochez ce que vous entendez.

a. ❑ C'est la même chose avec les miennes ! ❑ C'est la même chose avec Étienne !
b. ❑ Elle est toujours de mauvaise humeur ! ❑ C'est toujours sa mauvaise humeur !
c. ❑ Il critique tout ce qu'on fait ! ❑ Elle critique tout ce que je fais !
d. ❑ Ils sont tous comme ça, tu sais ! ❑ Elles sont toutes comme ça, tu sais !
e. ❑ Je me rappelle, c'était pareil ! ❑ Tu te rappelles ? C'était pareil !

2 Vous devez... ils doivent...

Cochez si la phrase exprime une obligation ou une supposition.

	Obligation	Supposition
a. Vous ne devez plus écouter de musique après 22 heures.	❑	❑
b. Il doit avoir eu un problème avec Théo ; il n'est toujours pas arrivé.	❑	❑
c. Elle doit être fatiguée car elle est très pâle.	❑	❑
d. Ils doivent travailler plus s'ils veulent réussir.	❑	❑
e. Tu dois porter plainte !	❑	❑

3 Ne... que

Exprimez une restriction avec *ne... que* à partir des phrases proposées.
*Exemple : Ils écoutent leur musique. → Ils **n'**écoutent **que** leur musique.*

a. Il veut une seule chose : se faire tatouer. **c.** Tu as fait le devoir de français ?
b. Ils ont des problèmes pour se parler. **d.** On cherche à éviter les conflits.

---

4 Crises d'ado

Regardez ce blog et répondez à l'un des internautes en faisant une ou deux comparaisons. Donnez-lui un conseil.

	Mon fils est extrêmement étrange.	v14g	75	3761
	Mon ado veut partir seul en vacances.	mes3anges8 3	12	191
	Ma fille de 15 ans regarde trop de films sur Internet !	mariedosab	2	46
	Ma fille veut dormir avec son copain.	mariedosab	11	124
	Mon fils veut se faire tatouer.	Parfum-des-anges	8	75
	Ma fille de 12 ans insulte son père.	romance29	3	46
	Ado rejeté par son héros (son père).	MissNann	0	43

....
....
....
....

5 Jeu de rôles

Choisissez l'une des situations suivantes et jouez-la avec votre voisin. Votre partenaire vous répond en s'excusant et en vous demandant des conseils pour que le problème ne se répète pas.

a. Au bureau, vous reprochez à un collègue de ne pas vouloir vous donner toutes les informations importantes.

b. Votre meilleur ami ne vous a pas invité à la soirée qu'il organisait. Vous le lui reprochez vivement.

c. Votre banque a pris de l'argent sur votre compte par erreur. Vous téléphonez au directeur pour demander votre argent.

Mixité, une aventure au quotidien

JE COMPRENDS ET JE COMMUNIQUE

1 Le marché du Val-Fourré

Le Val-Fourré

Quartier populaire de Mantes-la-Jolie, à 50 km à l'ouest de Paris

Cet après-midi, les milliers de clients qui vont au marché du Val-Fourré, à Mantes-la-Jolie, auront la possibilité d'y aller dimanche prochain. La ville vient en effet d'annoncer que l'un des plus grands marchés d'Île-de-France, créé en 1977, se tiendra désormais trois fois par semaine : le mardi, le vendredi et maintenant le dimanche. Le rendez-vous dominical est prévu de 10 heures à 18 heures.

2 Reportage

On est arrivés au Val-Fourré, en 1962. On venait d'Algérie. C'était neuf ici et pas populaire. C'était rare à l'époque des immeubles avec tout le confort moderne. Ça a bien changé tout cela hein ? Aujourd'hui, on rase les tours. Si on me proposait un appartement en centre-ville, dans les beaux quartiers là-bas, je refuserais, j'ai mes habitudes ici. Je ne veux pas aller ailleurs.

J'ai suivi mes parents. On était immigrés et sans papier au début. Ce n'était pas facile. Aujourd'hui, ça va mieux. Dans le quartier, on se sent bien et puis avec le marché, c'est comme au pays, on y trouve de tout... Ça vient du monde entier et c'est moins cher qu'en ville. Bien sûr, si j'avais assez d'argent, je déménagerais, mais pas mes parents... Ils ont tous leurs amis ici.

Dans les tours, il y a surtout des étrangers comme moi. Le chômage est important... Si les gens avaient du travail, il y aurait moins de problèmes entre eux ! Mais en discutant, on se comprend... Ce sont les enfants, qui donnent l'exemple : blanc, jaune ou noir, ils jouent quelquefois tous en bas des tours et s'amusent bien.

Boualem

Meili

Karim

Vocabulaire

• Verbes
se comprendre
jouer
refuser quelque chose

• Noms et pronoms
un autre
certains
un immeuble
un immigré
le monde
les papiers
(les documents officiels :
carte de séjour
par exemple)
une tour

• Adjectifs
dominical
entier, entière
populaire
riche

• Mots invariables
ailleurs
en bas
finalement
quelquefois

• Pour communiquer
eh bien
hein
Quoi !

• Manières de dire
les beaux quartiers
(= les quartiers riches)
Ça pose un problème
depuis des années.
(= depuis longtemps)
Il y a de tout.
(= beaucoup de choses,
un grand choix)

Écouter

• Écoutez les témoignages, page 114, et cochez Vrai ou Faux.

a. Boualem est arrivé d'Algérie. ❏ Vrai ❏ Faux
b. Les parents de Meili n'ont toujours pas de papiers. ❏ Vrai ❏ Faux
c. Il n'y a pas de problème dans le quartier. ❏ Vrai ❏ Faux
d. Les enfants ne savent pas jouer ensemble. ❏ Vrai ❏ Faux
e. Les problèmes ne s'arrangent pas en discutant. ❏ Vrai ❏ Faux

! Comprendre

• Lisez les phrases et cochez si le sens est positif ou négatif.

	Positif	Négatif
a. Regarde les fruits là, c'est beaucoup moins cher qu'en ville ou que dans les grandes surfaces non ?	❏	❏
b. Regardez, il y a même des mangues et beaucoup de produits comme chez nous.	❏	❏
c. Tu as vu ce monde. On ne peut même pas avancer…	❏	❏
d. À mon avis tous les légumes ne sont pas tous très frais.	❏	❏
e. Le marché du Val-Fourré, c'est le plus grand marché de la région, vous savez.	❏	❏

Communiquer

Qu'est-ce que veut dire le titre de l'article ?
Ces personnalités issues de l'immigration
sont connues dans quel domaine ?
Discutez par petits groupes.

UNE FRANCE
BLACK, BLANC, BEUR

Écrire

**Karim ne parle pas très bien le français. Il veut se
présenter sur un site Internet pour trouver un logement.
Aidez-le à rédiger son texte à partir des informations
suivantes.**

Nom : Karim Belkacem
Origine : Marrakech
Nationalité : française
Né le 10 mai 2001
Loisir : football

Je prononce

• Tous : [tu]/[tus] – Écoutez et répétez :
avec tout le confort – on y trouve de tout – ils jouent tous en bas des tours –
le marché toutes les semaines

• Rythme - Écoutez et répétez en respectant le nombre de syllabes :
ça a bien changé tout cela (8) / ça a bien changé tout c(e)la (7) –
je refuserais (5) / j(e) refuserais (4) / j(e) r(e)fus(e)rais (3) –
on se sent bien (4) / on s(e) sent bien (3) –
dans le quartier (4) / dans l(e) quartier (3).

J'APPRENDS ET JE M'ENTRAÎNE

Grammaire

• **L'hypothèse : si...**
Si on me **proposait** un appartement en centre-ville,
je refuserais.
Si les gens **avaient** du travail, il y aurait moins
de problèmes.
L'imparfait n'exprime pas le passé ici.
Si + imparfait (conditionnel présent) indique quelque
chose de non réel (on parle d'**irréel** du présent).

• **« On »**
Pronoms sujets : je, tu, il, elle, **on**, nous, vous, ils, elles
On rase les tours.
Les gens (les promoteurs immobiliers) rasent
les tours.

On est arrivé.
Nous (ma famille et moi) sommes arrivés en 62.

⚠ Quand *on* a le sens de *nous*, il faut utiliser *nous*
comme pronom tonique :
On est bien chez **nous**.
On lui propose de venir **nous** voir ?
Quand *on* a un sens plus large (les individus, les gens...),
il faut utiliser *soi* :
Tout le monde s'en va, **on** rentre chez **soi** !
= Chacun rentre chez soi.

• **Rappel :**
C'est **le moins** cher du coin. (= **superlatif**)

---

1 Comment ?

Dans quelles phrases est-ce que le gérondif a une valeur de temps ou de moyen ? Cochez.

	temps	moyen
a. En travaillant ton vocabulaire, tu feras des progrès en français.	☐	☐
b. J'ai bien gagné ma vie en travaillant à l'usine.	☐	☐
c. Je prendrais bien des fruits exotiques en faisant mon marché..	☐	☐
d. En allant au marché, j'ai rencontré Boualem..	☐	☐
e. C'est en discutant avec les autres qu'on finit par se comprendre.	☐	☐

2 L'irréel du présent

Imaginez une suite à ces propositions.
a. Si je gagnais au Loto...
b. Si j'avais une autre couleur de peau...
c. Si j'habitais sur les Champs-Élysées...
d. Si on me proposait d'aller vivre à la campagne...
e. Si le chômage n'existait pas...

3 On rase les tours.

Relisez les témoignages de Boualem, Meili et Karim, page 114.
Relevez les pronoms *on* et dites à qui ils correspondent.

---

4 Le treizième à Paris

Faites quelques recherches sur Internet et répondez aux questions.

a. Pourquoi est-ce que cet arrondissement porte le numéro 13 ?
b. Pourquoi est-ce qu'on y rencontre beaucoup de personnes d'origine chinoise ?
c. Victor Hugo, La Fayette ou encore Chateaubriand fréquentaient un célèbre cabaret dans le 13ème arrondissement. Vous connaissez son nom ?

Envie d'une petite balade sympathique sous le soleil hivernal ?

Allez donc faire un tour sur le parvis de la mairie du 13ème arrondissement. Il s'y tient un joli petit marché chinois, un peu à la façon des marchés de Noël. De petites maisons en bois sont installées, elles invitent le promeneur à découvrir toutes sortes de produits typiques et artisanaux. Thés, épices et fruits exotiques n'auront plus de secrets pour vous ! Mais pourquoi ce quartier parisien est-il appelé « le quartier chinois » ?

5 C'est en forgeant que l'on devient forgeron.

Sur le modèle de ce dicton populaire, choisissez deux verbes dans la liste ci-dessous et imaginez un dicton. Puis comparez avec votre voisin.

éviter – habiter – parler – discuter – jouer – refuser – rencontrer – acheter – se plaindre – déménager – communiquer – cuisiner – voyager

6 Votre quartier idéal

Décrivez ce qui est, pour vous, un quartier idéal. Présentez-le à la classe.

La colocation
intergénération

L'espérance de vie augmente pour l'ensemble de la population dans le monde. En 50 ans, elle a progressé de plus de vingt ans !

Vivre plus vieux change l'organisation générale de la société. Les seniors ont des difficultés à payer leur loyer et vivent souvent seuls. C'est pourquoi, aujourd'hui, en France mais aussi en Suisse, en Belgique ou au Canada, de plus en plus de personnes choisissent la colocation intergénération. Deux générations vivent dans le même logement. Une solution idéale pour les personnes âgées mais aussi pour les étudiants.

La colocation senior-étudiant permet aux personnes âgées de rester chez elles, de se sentir en sécurité et d'avoir de la compagnie. Elle peut être aussi une manière d'échanger des connaissances. On peut proposer une chambre contre des cours d'informatique.

En échange de quelques services, cette colocation offre aux étudiants un logement confortable, gratuit ou à petit prix. Ils peuvent étudier dans de bonnes conditions. Les étudiants étrangers aiment ce type de colocation parce qu'ils peuvent ainsi perfectionner leur français.

a. À votre avis, quels services une personne âgée peut vous demander de faire en échange d'un logement gratuit ?

b. Qu'est-ce que vous pouvez apprendre à une personne âgée ? Quelles sont vos compétences et vos qualités ?

Témoignages de seniors

« J'étais seul dans un grand appartement et je payais trop cher. J'ai loué une chambre à un étudiant. Mais, à 64 ans, on a ses petites habitudes ! Pour moi, écouter de la musique à trois heures du matin, c'est non ! »

« Je suis très contente de la jeune étudiante qui est venue vivre chez moi. Sa gentillesse et sa présence ont changé ma vie. Le soir, j'attends avec impatience son retour pour dîner avec elle et discuter. C'est vraiment merveilleux. »

Bernard, 64 ans

Yvette, 96 ans

■ À votre avis, quels sont les avantages et les inconvénients de la colocation intergénération ?

Cohabitation en plein cœur du quartier Latin, à Paris.

Rencontre avec Linxin, 24 ans, et Solange, 91 ans.

« Bien sûr, la colocation, c'est intéressant pour le loyer, mais c'est surtout plus convivial. Loin de ma famille, je me sentais seul... Chez Solange, je trouve un endroit qui m'aide à travailler. Nous dînons ensemble tous les soirs à 20 heures. Souvent, on regarde le journal télévisé ou bien on parle littérature. Je fais les courses de temps en temps et je dois être disponible le soir, le week-end et même la nuit... Je peux sortir de temps en temps, mais il faut que je prévienne Solange. Elle est un peu comme ma grand-mère. Ce que je préfère, c'est quand elle me raconte ses souvenirs, quand elle me parle de la guerre, de sa carrière de comédienne. Prendre soin d'elle, ce n'est pas une obligation, c'est plutôt un enrichissement. Vivre avec un senior, ça aide à grandir, à devenir plus responsable. »

Linxin

Solange

a. Pour Linxin, vivre avec un senior, ça aide à grandir, à devenir plus responsable. Êtes-vous d'accord avec lui ?

b. Est-ce que vous aimeriez vivre cette expérience ? Pourquoi ?

Compréhension orale

1 Écoutez et complétez.

a. 1980 : ....

b. .... : divorce d'Antoine et Sophie

c. 1998 : ....

d. 2003 : ....

e. .... : naissance de Yuki-Anne

f. 2007 : ....

g. .... : Pacs Carole + Paul

h. .... : naissance de leur bébé, Matthieu

2 Écoutez et complétez.

Karim vit à Lyon depuis .... C'est une ville qu'il connaît comme sa poche et qu'il adore. Il habite tout près

de la Saône et depuis toujours, il .... de longues promenades au bord de ce fleuve et regarder passer les péniches

sur l'eau. Ses parents, ..., sont arrivés en France en 1969, juste après ....

Ils ont d'abord habité dans la banlieue parisienne puis, ... ils ont déménagé à Lyon. C'est là que les trois enfants sont

nés. Au moment de sa retraite, le père .... de retourner vivre en Algérie mais sa femme ....

.... quitter ses enfants, tous installés à Lyon. Alors, ils ont acheté une maison un peu plus au sud, dans un ....

.... de Provence. Pendant les vacances, leurs enfants et ....-.. (ils en ont quatre) viennent les voir.

Et eux, ils vont .... passer le mois de février à Tizi-Ouzou. Leurs parents à eux .... mais ils retrouvent

avec bonheur les frères, les sœurs, les cousins, les amis, les voisins...

Grammaire

3 Cochez la phrase qui a le même sens que la phrase en italique.

a. *Elle a pleuré en regardant le film.*

1. ☐ Elle a regardé le film et elle a pleuré en même temps.
2. ☐ Elle était triste. Alors, elle a regardé un film.
3. ☐ Elle a regardé le film. Après, elle a pleuré.

b. *Elle ne sait pas nager le crawl.*

1. ☐ Elle n'a pas appris à nager le crawl.
2. ☐ Elle ne veut pas nager le crawl.
3. ☐ Elle ne sait pas du tout nager.

c. *Je vis à Londres depuis un an.*

1. ☐ J'ai habité à Londres pendant un an.
2. ☐ Je suis allé à Londres l'année dernière.
3. ☐ J'habite encore à Londres.

d. *Il a dû avoir un problème.*

1. ☐ Il a peut-être eu un problème.
2. ☐ Il a eu un problème d'argent.
3. ☐ Il doit de l'argent à quelqu'un.

e. *Elle ne fume plus depuis vingt ans.*

1. ☐ À vingt ans, elle a commencé à fumer.
2. ☐ Elle a arrêté de fumer il y a vingt ans.
3. ☐ Depuis son anniversaire, elle ne fume plus.

4 Passez du discours direct au discours indirect.

« Bonjour, mademoiselle. Vous êtes très jolie. Vous habitez chez vos parents ?
Où est-ce que vous travaillez ? Qu'est-ce que vous faites le dimanche ? Vous avez un petit copain ? »
→ Quelle horreur, ce garçon. Il voulait tout savoir.

Il m'a demandé ....

....

Bien sûr, je n'ai pas répondu !

5 Orthographe. *Fermé, fermés, fermée, fermées, fermer, fermez…* Vous entendez le même son [e]. Complétez.

a. Les portes du théâtre seront ferm............ à vingt heures trente.

b. S'il vous plaît, vous voulez bien ferm............ la porte ?

c. Avant de partir, ferm............ bien toutes les fenêtres. Il va pleuvoir !

d. Écoutez le dialogue avec vos livres ferm............, s'il vous plaît.

e. Impossible d'entrer : la maison est ferm............ à clé et je n'ai pas le double des clés.

f. Le musée Rodin n'est jamais ferm............ le mardi, comme les autres musées.

Compréhension et expression écrites

6 Lisez et répondez aux questions.

1. Voici trois titres. Lequel convient le mieux au texte ?
a. Père de famille et encore chez papa-maman
b. Encore adolescents et déjà parents
c. Le point sur les problèmes de logement à Rouen
2. À votre avis, qui a décidé de garder le bébé ?
3. Comment comprenez-vous la phrase : « J'étais pas très bon » ?
4. Que pensez-vous de la réaction des parents de Michaël ?
5. Pourquoi Michaël dit : « Tout ça, c'est un peu compliqué. »
6. Quels conseils pourrait-on lui donner ?

J'ai 17 ans et ma copine 15 ans. Nous avons une fille de six mois. Elle s'appelle Gwendoline, elle est adorable et nous sommes très heureux ensemble ! Pour l'instant, nous habitons chez mes parents à Rouen, mais j'aimerais avoir un appartement à nous. Bien sûr, ils sont très sympas mais c'est petit, chez eux, il y a trois pièces et on vit à sept dans leur appart.
Tout ça, c'est un peu compliqué. Ma copine continue ses études par correspondance avec le Cned* et moi, j'ai un petit boulot dans un MacDo. J'ai arrêté l'école, j'étais pas très bon. Il faut que je gagne un peu d'argent pour donner à ma mère. Quelquefois, je me dis que c'est super mais quelquefois, je me dis que c'est idiot, j'ai peur d'avoir perdu ma jeunesse… Je ne regrette rien mais je ne demande si c'était une bonne idée de garder ce bébé. Et pourtant, je l'adore. Mais j'ai envie de voir mes copains, de sortir en boîte de temps en temps, de m'amuser… Quelquefois, je pense que j'ai 17 ans et que ma vie est finie. J'aimerais avoir des conseils ! Merci.
Michaël

*CNED = Centre national d'enseignement à distance

Expression écrite

7 À votre avis, quel est l'âge idéal pour avoir un enfant ? Justifiez votre réponse en quatre ou cinq lignes.

Bilan actionnel

Évaluez-vous

1 Lisez et répondez aux questions.

Vincent est plus jeune que Paul, mais il est déjà dans sa crise d'ado. Il est moins difficile que Paul, mais il est plus agressif avec nous. On a autant de mal avec l'un ou l'autre. Il faut toujours plus de dialogue et moins de conflits. Enfin, ce n'est pas pire ni meilleur chez les autres ! Nos amis ont les mêmes problèmes que nous.

a. Relevez les phrases qui expriment : la supériorité, l'égalité ou l'infériorité.

b. Reliez.

mieux •   • mauvais
pire •   • bien
meilleur •   • bon

c. Est-ce que *la même*, *le même* ou *les mêmes* sont toujours suivis de *que* ?

Je suis capable de comparer : ❏ oui, ❏ pas encore.

2 Observez et répondez aux questions.

Si j'étais riche, je quitterais mon travail !
Si je pouvais, je resterais toute la journée dans mon lit !
Ah, si seulement je pouvais avoir une baguette magique...

a. À quel temps sont conjugués les verbes qui suivent la conjonction « si » ?

b. *Si j'étais riche* signifie *Je suis riche* ou *Je ne suis pas riche*.

c. On ne dit pas *si il*, mais : ....

Je suis capable d'exprimer un souhait : ❏ oui, ❏ pas encore.

Action

Comparez ces annonces et choisissez le voyage
que vous aimeriez faire. Expliquez votre choix à la classe.

Découvrez le Sud de la Turquie
1300 euros tout compris
12 jours / 10 nuits
L'hébergement en hôtel *** et sa plage
privée vous garantissent un repos total.

Des activités pour toute la famille
Plongée, pêche en mer
Découverte de la nature
Barbecue sur la plage

Réunion sauvage
5 jours / 3 nuits
Vol direct de Paris (12 heures)
1900 euros tout compris
Hébergement en chambres d'hôtes,
situé en pleine montagne :
nature et dépaysement au rendez-vous

Activités
Randonnées, découvertes des sites naturels
(Cirque de Cilaos, Mafate et Salazie,
volcan du Piton de la Fournaise...)

Ça ira mieux demain

 LEÇON 21

Je voudrais qu'il soit...

■ Exprimer un souhait – exprimer un désir

 LEÇON 22

Demain, j'arrête !

■ Exprimer une résolution – se projeter dans l'avenir

 LEÇON 23

Peur ? Moi, jamais !

■ Exprimer ses craintes – proposer

 LEÇON 24

Jouer n'est pas gagner.

■ Prévoir – exprimer ses craintes/envies pour l'avenir

Unité 6

Je voudrais qu'il soit...

JE COMPRENDS ET JE COMMUNIQUE

■ Où est l'homme idéal ?

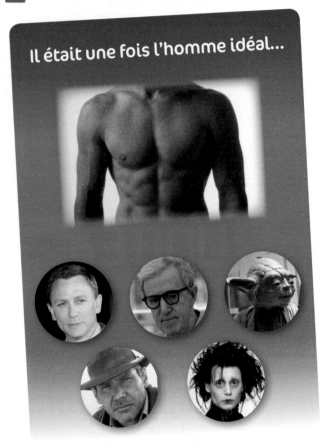

Il était une fois l'homme idéal...

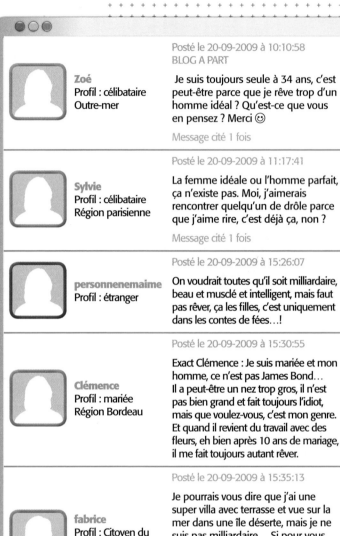

Posté le 20-09-2009 à 10:10:58
BLOG A PART

Zoé
Profil : célibataire
Outre-mer

Je suis toujours seule à 34 ans, c'est peut-être parce que je rêve trop d'un homme idéal ? Qu'est-ce que vous en pensez ? Merci ☺

Message cité 1 fois

Posté le 20-09-2009 à 11:17:41

Sylvie
Profil : célibataire
Région parisienne

La femme idéale ou l'homme parfait, ça n'existe pas. Moi, j'aimerais rencontrer quelqu'un de drôle parce que j'aime rire, c'est déjà ça, non ?

Message cité 1 fois

Posté le 20-09-2009 à 15:26:07

personnenemaime
Profil : étranger

On voudrait toutes qu'il soit milliardaire, beau et musclé et intelligent, mais faut pas rêver, ça les filles, c'est uniquement dans les contes de fées…!

Posté le 20-09-2009 à 15:30:55

Clémence
Profil : mariée
Région Bordeau

Exact Clémence : Je suis mariée et mon homme, ce n'est pas James Bond…
Il a peut-être un nez trop gros, il n'est pas bien grand et fait toujours l'idiot, mais que voulez-vous, c'est mon genre. Et quand il revient du travail avec des fleurs, eh bien après 10 ans de mariage, il me fait toujours autant rêver.

Posté le 20-09-2009 à 15:35:13

fabrice
Profil : Citoyen du monde / célibataire
Région parisienne

Je pourrais vous dire que j'ai une super villa avec terrasse et vue sur la mer dans une île déserte, mais je ne suis pas milliardaire… Si pour vous, l'argent, ce n'est pas indispensable, je suis libre. Vous pouvez me joindre sur ma messagerie (voir profil sur la dernière page de mon blog :g-fab78@laposte.net)

L'HOMME PARFAIT

(IL VA FAIRE LES COURSES)

Vocabulaire

• **Verbes**
déménager
rêver

• **Noms**
une fleur
une île
la mer
le nez
une terrasse
un type (familier)

• **Adjectifs**
drôle (= amusant)
idéal(e)
indispensable
intelligent(e)
milliardaire

• **Mot invariable**
derrière

• **Manières de dire**
C'est mon genre.
faire l'idiot
C'est mon type.

Écouter

• **Écoutez les phrases et cochez la phrase qui a le même sens.**

a. Ça me ferait drôle d'avoir un homme qui me fasse rire. ☐
J'aimerais qu'il soit drôle. ☐

b. Je n'aime pas qu'il fasse l'idiot. ☐
J'aime les hommes drôles. ☐

c. Je rêve de mon mariage il y a dix ans. ☐
Je suis amoureuse/amoureux comme aux premiers jours. ☐

d. J'ai une maison au bord de la mer. ☐
Je ne veux pas vous raconter d'histoire. ☐

Écrire

**Apportez vos conseils à Zoé
en quelques lignes et rassurez-la.**

....

....

....

....

Comprendre

• **Listez les qualités de l'homme idéal chez les internautes, page 124. Est-ce qu'elles vous semblent réalistes ?**

Communiquer

Quelles sont les principales caractéristiques auxquelles vous êtes sensible chez votre partenaire ? Échangez par petits groupes.

Vous avez dit « homme idéal » ?

Selon l'enquête des Pease, pour séduire les femmes, un homme doit avoir les sept qualités suivantes : les faire rire, vouloir communiquer, savoir cuisiner, aimer et savoir danser, être en mesure de les rassurer physiquement et financièrement, aimer les enfants, sembler sain.

Je prononce

Écoutez et répétez :

• **Le son [ɛ] (mâchoire ouverte)**
Je rêve – j'aimerais – on voudrait – c'est mon genre – je ne suis pas milliardaire

• **Les sons [e] et [ɛ]**
il me fait toujours rêver – un nez de travers – et vue sur la mer – c'est déjà ça.

• **La consonne [ʀ]**
je rêve trop – j'aimerais rencontrer qqn – il revient du travail avec des fleurs – je pourrais vous dire – je suis libre

J'APPRENDS ET JE M'ENTRAÎNE

Grammaire

• **Le subjonctif**
Ce mode exprime la subjectivité. On l'utilise après des verbes ou des formules qui expriment :
– la volonté : *Je* **voudrais** *qu'il ressemble à James Bond.*
– le désir : *J'***aimerais** *qu'ils soient milliardaires.*
– l'obligation, la nécessité : *Il* **faut** *qu'il soit musclés.*

Observez :
Je *voudrais avoir une maison au bord de la mer.*
J'aimerais être en vacances.*
Le sujet est le même : verbe + infinitif.
Je *voudrais qu'***il*** *soit intelligent.*
J'aimerais que* ***nous*** *soyons milliardaires.*

Les sujets sont différents, on utilise : verbe + *que* + subjonctif.

⚠ Le subjonctif des verbes *être* et *avoir* est irrégulier. (Voir le précis grammatical, page 150)

• **Rappel :** le conditionnel de souhait, de désir, de condition... ou de rêve !
J'aimerais... Je voudrais... Il faudrait...
Plus tard, **j'aimerais** *avoir un métier intéressant,* **je voudrais** *un appartement à New York.* **J'aimerais** *aussi une maison à Nice, un studio à Paris et un autre dans les Alpes...* *Mais* **il faudrait** *être milliardaire !*

1 Complétez.

Mettez les verbes au subjonctif ou à l'infinitif.

a. Si tu savais comme je suis heureuse d'.................................. Karim. (épouser)

b. Tous les parents aimeraient que leurs enfants .... heureux. (être)

c. Attention ! Il faut que vous .... à l'heure au rendez-vous. (être)

d. Il voudrait .... un appartement dans un quartier calme (avoir).

e. Elle aimerait que ses colocataires .... gentils et sympathiques. (être)

f. Il faut que nous .... plus de temps pour nous connaître.(avoir) .

2 Nouveau départ

Sophie et Fabien apprennent le départ à l'étranger de leurs meilleurs amis. Ils expriment leurs souhaits et regrets.

Par exemple : Je souhaite que... / J'aimerais qu'ils... / Il faudrait que... / Je voudrais que... / Je suis triste que...

3 Dans les phrases suivantes, qu'est-ce qu'on exprime : l'obligation ? Le souhait/le désir ? Ou un rêve, une utopie ?

a. J'aimerais bien que tu sois un peu plus gentil avec ta sœur ! → ...

b. Il faut absolument que je sois à l'université à huit heures. → ...

c. Je préférerais que vous soyez avec moi pour discuter de ce projet. C'est possible ? → ...

d. Je voudrais que ma grand-mère soit encore là en 2080 ! → ...

e. Il faut que j'aie 15/20 pour être reçu à ce concours. → ...

4 Les auditeurs ont la parole.

Écoutez et cochez les thèmes abordés par les auditeurs.

- ☐ la politique
- ☐ la solidarité
- ☐ les causes humanitaires
- ☐ la santé
- ☐ l'école
- ☐ les guerres
- ☐ l'argent
- ☐ le travail.

5 Et vous ?

**Et vous, qu'est-ce que vous souhaitez ?
Échangez avec votre voisin.**

6 Il faut que...

Transformez les phrases comme dans l'exemple.

Il doit être beau, musclé et intelligent.
→ *Il faut qu'il soit beau, musclé et intelligent.*

a. Ils doivent être romantiques.
b. Elle doit avoir de la conversation.
c. Il doit être drôle et agréable à vivre.
d. Nous devons avoir une maison au bord de ma mer.
e. Vous devez être à l'université à la rentrée.
f. Je dois avoir une bonne situation professionnelle.

7 Homme, femme, mode d'emploi

**Que doit faire l'homme ou la femme de votre vie
pour que vous l'aimiez comme au premier jour ?
Rédigez en petits groupes les dix commandements
de l'homme/la femme idéal(e).**

....
....
....
....
....
....
....
....
....
....

L'HOMME IDÉAL

10 LEÇONS POUR SÉDUIRE LA FEMME DE VOTRE VIE

Demain, j'arrête !

JE COMPRENDS ET JE COMMUNIQUE

Taratata

Dans un café...

Allez, on trinque. Tchin, tchin ! Bonne année, Léonie.

À toi aussi, Paul, bonne année. Tu fais un vœu ?
C'est quoi tes projets pour l'année qui vient ?

Moi, ça fait cinq ans que je fais des études, alors c'est décidé, l'an prochain, il faut que je finisse ce master et que je trouve un travail.

Enfin ! Toi qui es un peu paresseux, il va falloir que tu lises, que tu assistes à tous les cours...

Oh oh... Ça va. Il ne faut pas que tu commences toi aussi. Entre ma mère et ses Fais pas ci, fais pas ça. Si toi, tu t'y mets aussi...

Je te connais, c'est tout. Et puis ta mère, moi, je la trouve plutôt compréhensive. Tes parents, ils t'ont plutôt bien aidé jusqu'ici. À 25 ans, tu vis encore chez eux, tu te rends compte ? Il faudrait que tu te mettes un peu à leur place : tu n'as plus dix ans et tu n'es pas vraiment... comment dire... indépendant ?!

Ah, ah, ah, j'aimerais t'y voir ! À mon âge, je vais encore à la fac en vélo.

Tu vois toujours le bon côté des choses. Moi, j'ai décidé de m'inscrire à la piscine. Il y a un club de fitness, tu peux venir avec moi si tu veux ? Il faut que j'y aille régulièrement et que je perde un peu de poids. Que je retrouve ma ligne quoi...

Ça ne sera pas facile. Il y a du boulot...

Merci, c'est charmant ! Je m'en souviendrai. Bon... On y va ?
Il est tard.

Vocabulaire

- **Verbes**
décider de faire qqch
s'inscrire
- **Noms**
un boulot (familier)
un club
la fac (la faculté = l'université)
- **Adjectifs**
compréhensif,
compréhensive
indépendant(e)
paresseux, paresseuse
- **Manières de dire**
Merci, c'est charmant !
Fais pas ci, fais pas ça.

Écouter

- **Écoutez et cochez.**

a. Il faut que je finisse ce master et que je trouve du travail.
- ☐ Paul a terminé ses études.
- ☐ Paul doit terminer ses études.
- ☐ Paul a déjà un travail.

b. Il ne faut pas que tu commences toi aussi !
- ☐ Léonie est d'accord avec les remarques de Paul.
- ☐ Paul n'est pas content de la remarque de Léonie.
- ☐ Paul demande à Léonie de commencer.

c. J'ai décidé de m'inscrire à la piscine.
- ☐ Léonie fait du sport.
- ☐ Léonie va faire du sport.
- ☐ Léonie va aller à la piscine.

d. Merci, c'est charmant ! Je m'en souviendrai.
- ☐ Léonie trouve Paul charmant.
- ☐ Léonie apprécie la remarque de Paul.
- ☐ Léonie va se souvenir de la remarque de Paul.

Je prononce

Écoutez et répétez :
- **Les consonnes [f] et [v]**
tu fais un vœu – il faut que je finisse – fais pas ci,
fais pas ça – tu peux venir avec moi si tu veux –
il va falloir s'y mettre - à la fac en vélo
- **Le son [j] :**
du travail – il faut que l'on y aille – il faut que j'y aille
Attention, ces phrases sont difficiles à prononcer,
veillez donc à bien distinguer chaque syllabe.

! Comprendre

- **Lisez le dialogue, page 128, et remplacez le verbe *mettre* par un autre verbe qui veut dire la même chose.**

a. Si toi tu t'y mets aussi !

– Si toi aussi ....

b. Il faudrait que tu te mettes un peu à leur place.

– Il faudrait que tu te ....

Écrire

Quelles sont les dernières résolutions que vous avez prises ? Est-ce que vous les avez tenues ? Rédigez.

> Et cette année,
> je trouve une jolie copine,
> marrante, intelligente, douce,
> sympa, cool, calme...
> Ah zut ! J'ai dit que je ne devais
> pas prendre de résolution que
> je ne tiendrais pas...

Communiquer

En petits groupes, trouvez des répliques pour ces drôles d'animaux qui expriment leurs souhaits pour l'année qui commence.

Je voudrais que tu sois un peu plus réservé, et que tu arrêtes de siffler dès trois heures du matin

J'APPRENDS ET JE M'ENTRAÎNE

Grammaire

• Le subjonctif (suite)
• On utilise le subjonctif après des expressions de :
– désir : *J'aimerais que tu trouves un travail.*
– nécessité : *J'ai besoin que vous soyez près de moi.*
– sentiment : *Nous serions contents que tu sois plus indépendant.*
• La formation du subjonctif
– les verbes qui se terminent par *-er* (sauf *aller*) : au singulier et à la troisième personne du pluriel, la forme reste la même qu'au présent : *trouver = (il faut que) je trouve, tu trouves, il trouve, ils trouvent.* La première et seconde personne du pluriel se construisent comme à l'imparfait : *nous trouvions, vous trouviez*
– les autres verbes (*partir, finir, prendre...*) : utilisez la base verbale de la 3ème personne du pluriel du présent de l'indicatif.

finir = (ils) finissent = finiss- + e, es, e, ions, iez, ent
prendre = (ils) prennent = prenn- + e, es, e, ions, iez, ent

⚠ **Verbes irréguliers** : *avoir, être, faire, aller, pouvoir, savoir, vouloir.* Pour la conjugaison de ces verbes très fréquents, reportez-vous au précis grammatical, p. 153.

• Attention à la construction de certains verbes :
*décider **de** / arrêter **de** (faire quelque chose) / commencer **à** faire quelque chose, mais commencer **par** faire quelque chose :*
*Commence **par** aller à la fac à vélo, on verra pour une voiture après tes études.*

1 Écoutez.

Cochez les phrases que vous entendez.

a. ☐ Je vais arrêter la fac.
☐ Je veux arrêter la fac.

b. ☐ Il faut que nous prenions des bonnes résolutions.
☐ Il veut que nous prenions de bonnes résolutions.

c. ☐ Il faudrait qu'elle aille à la piscine.
☐ Il voudrait qu'elle aille à la piscine.

d. ☐ Il faut bien que tu passes ton bac d'abord.
☐ Il faudrait que tu passes ton bac d'abord.

2 La bonne construction

Complétez le mini-dialogue avec *par* ou *de* si nécessaire.

a. J'espère réussir .... mon entretien d'embauche.

b. Occupe-toi .... chercher un stage en même temps, tu sais c'est de plus en plus rare .... trouver un emploi du premier coup. Commence .... lire les petites annonces !

c. J'ai très envie .... m'investir dans une entreprise et, tu sais, je suis prêt à déménager, même si je préfère .... rester sur Besançon, comme toi.

d. Commence .... ce premier entretien et tu verras bien.

3 Réagissez.

Lisez le texte, puis écrivez à Théo en lui suggérant quelques solutions qui pourraient permettre à son père de vivre mieux la situation.

Éric, le père de Théo, n'est pas très content de voir son fils, âgé de 26 ans, toujours à la maison : « Il se lève à midi, ne fait pas sa lessive, mange n'importe quoi à n'importe quelle heure, et bien sûr, la vaisselle, il ne connaît pas ! C'est vrai que j'en ai assez, mais je ne peux pas lui dire de partir quand même. »

....
....
....
....

4 La presse en parle.

Lisez et commentez en petits groupes.

GÉNÉRATION KANGOUROU : ils ont entre 20 et 30 ans et vivent toujours chez leurs parents !

Il faudrait que le chômage diminue pour que les jeunes soient plus indépendants.

CHIFFRES : près d'un quart des jeunes est au chômage.

Le chômage des jeunes

Une malédiction française ? Depuis vingt-cinq ans, le chômage des jeunes Français est à un niveau très élevé (entre 20 et 25 %) deux fois plus élevé que celui des adultes.

Plus d'un jeune adulte sur cinq vit encore chez ses parents.
En cause, l'allongement des études, la précarité de l'emploi et le logement de plus en plus cher.

5 Votre avis les intéresse.

La mairie de votre ville vous demande votre avis pour améliorer la vie dans votre quartier.
Par petits groupes, réfléchissez à de nouvelles actions et présentez vos propositions.

Peur ? Moi, jamais !

Je comprends et je communique

MICHEL NOSTRADAMUS. *Médecin,* Né à St Remy, en Provence, le 14 Décemb. 1503. Mort le 2 juillet 1566.

■ Même pas peur !

> Tu as vu les journaux ? Ça ne te fait pas peur la fin du monde ?

> Bof, moi, tu sais... Ça m'est bien égal tout ça. Par contre, tu sais, il y a plein d'autres raisons d'avoir peur : prendre l'avion, par exemple, s'il tombe en panne ou si le pilote fait un arrêt du cœur. Ou encore, être pris dans l'incendie d'une tour, avec tous les gens qui hurlent. J'en ai mal au ventre rien que d'y penser... Et les araignées, je ne les supporte pas. Mais la fin du monde... C'est ridicule !

> Tu peux rire, mais moi, je suis mort de peur ! Entre le calendrier maya, Nostradamus, les 150 signes du coran et le 112e pape, le dernier dit-on... Cela fait beaucoup, non ? Tous ces signes qui se répètent. C'est bizarre, non ? Et puis je l'ai lu dans des livres, même Einstein a écrit sur la fin du monde. Sur Internet aussi, ils en parlent.

> Tu crois tout ce qu'ils disent sur Internet toi ?! La vie est déjà assez compliquée comme ça. La peur, cela fait vendre. Les journalistes le savent bien.

> Ah, Ah !

> Non, finalement, tu as raison, on ne peut rien y faire, la fin du monde, c'est sûr et c'est même prévu... dans deux milliards d'années !

SCIENCE & VIE

ÉDITION SPÉCIALE

FIN DU MONDE

Un jour, c'est sûr...

CEUX QUI EN FONT DES **CAUCHEMARS**. CEUX QUI VEULENT **FUIR LA TERRE**. CEUX QUI VEULENT EN PROFITER POUR **REFONDER L'HUMANITÉ**. CEUX QUI VEULENT **SE METTRE À L'ABRI**. CEUX QUI SE PRÉPARENT À Y **SURVIVRE**. CEUX QUI VEULENT **ADAPTER L'HOMME AU PIRE**...

Et après ?
Le journal de bord d'un survivant

ASTÉROÏDE, NUCLÉAIRE, PANDÉMIE...
LES 9 SCÉNARIOS DES SCIENTIFIQUES

Vocabulaire

• Verbes
apprendre à faire quelque chose
hurler
monter
répéter
supporter

• Noms
un avion
le cœur
un incendie
une panne
le pilote
un tranquillisant
le ventre

• Adjectifs
compliqué(e)
ridicule

• Mot invariable
contre

• Manières de dire
Ça m'est égal.
être mort de peur
avoir mal à...
Ça suffit.
Ça me rend malade.
Je n'y peux rien.
(= ce n'est pas ma faute)

Écouter

• Écoutez le dialogue, page 132, et cochez la phrase entendue.
a. Ça ne te fait pas peur la fin du monde ? ☐
   Ça n'a pas l'air de te faire peur la fin du monde. ☐
b. Il y a plein d'autres raisons d'avoir peur. ☐
   Il n'y a aucune raison d'avoir peur. ☐
c. J'ai peur de la mort. ☐
   Je suis mort de peur. ☐
d. La vie n'est pas si compliquée. ☐
   La vie est déjà assez compliquée. ☐

! Comprendre

• Répondez aux questions.
a. De quoi Camille a-t-elle le plus peur ?
b. Est-ce que Maxime est d'accord avec les arguments de Camille ? Pourquoi ?
c. Qu'est-ce que Camille lui propose de faire ?

Communiquer

De nombreux films traitent de scénarios catastrophes. Vous en avez vus ? Lequel vous préférez ? Pourquoi ? Échangez avec votre voisin.

Écrire

Très peu de personnes ont réussi à survivre à la fin du monde. Rédigez les premières lignes du journal des survivants.

Je prononce

• Les liaisons et enchaînements – Écoutez et répétez.
dans un avion – dans une tour – c'est horrible –
que tu apprennes à supporter – en ajouter – c'est à vous
• Opposition des sons [a] et [œ] – Écoutez et répétez.
tu n'as pas peur – une panne de réacteur – un arrêt du cœur

LES SURVIVANTS
Piers Paul Read

J'APPRENDS ET JE M'ENTRAÎNE

Grammaire

• **Le subjonctif (suite)**
Observez :
*J'ai peur que la fin du monde **soit** proche.*
*J'ai peur qu'il **puisse** avoir un arrêt du cœur en plein vol.*
Le subjonctif s'emploie aussi après un verbe qui exprime la crainte (*avoir peur de...*).
• Le subjonctif des verbes *pouvoir* et *savoir*.
pouvoir :

il faut que je puisse	que nous puissions
il faut que tu puisses	que vous puissiez
il faut qu'il puisse	qu'ils puissent

savoir :

il faut que je sache	que nous sachions
il faut que tu saches	que vous sachiez
il faut qu'il sache	qu'ils sachent

Rappel : Les trois personnes du singulier et la troisième personne du pluriel se prononcent de la même façon.

• **L'irréel du présent (rappel)**
Si + imparfait / conditionnel présent
Si j'étais spécialisé en histoire, je ne croirais pas cette histoire de calendrier Maya.
(mais je ne le suis pas)
Si Nostradamus avait raison, je partirais loin d'ici.
(mais c'est impossible de le savoir)

---

1 Ce qui me fait peur...

Écoutez le dialogue et cochez ce qui fait peur à Maylis et Yoan.

	Maylis	Yoan
les araignées		
les ascenseurs		
les maladies		
les insectes		
les tremblements de terre		
l'avion		
les moyens de transport		
le noir		

2 Subjonctif ou indicatif ?

Indiquez si les verbes sont au subjonctif (S) ou à l'indicatif (I) ou s'ils peuvent être aux deux modes (S/I).

Par exemple : Nous laissions : S/I.

ils fassent		elles perdent	
tu prends		tu regardes	
je sache		nous soyons	
tu regardes		nous ayons	

3 Comment l'éviter ?

Qu'est-ce que vous feriez si... ? Reliez.

a. Si il y avait la guerre... •   • je lirais plus de livres.
b. Si le soleil ne brillait plus... •   • nous ferions des réserves de nourriture.
c. Si le niveau des mers montait... •   • j'irais habiter à la montagne.
d. Si c'était la fin des ordinateurs... •   • nous inviterions plus souvent nos amis.
e. Si la télévision ne marchait plus... •   • nous irions sur une autre planète.

4 La fin du monde

Parmi les différentes hypothèses de fin du monde laquelle paraissait la plus crédible.
Pourquoi ? Discutez avec votre voisin.

1910	La comète de Haley détruit tout.
1947	À Chicago, l'horloge de l'apocalypse représente la fin des temps, elle indique 23h55 en 2012.
1960	Un physicien prédit que le nombre d'habitants en 2060 rendra la vie sur Terre impossible.
1999	Le couturier français Paco Rabane annonce la fin du monde le 11 août (soir de l'éclipse solaire).
2000	Le bug informatique fait peur à tout le monde.
2012	Le calendrier maya annonce la fin du monde.

5 La faute à qui ?

Voici ce que les Français répondent à la question : qu'est-ce qui provoquera la fin du monde ?

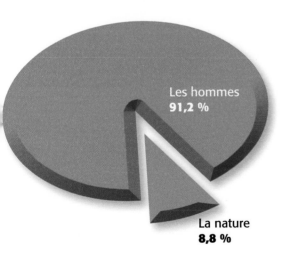

Les hommes **91,2 %**

La nature **8,8 %**

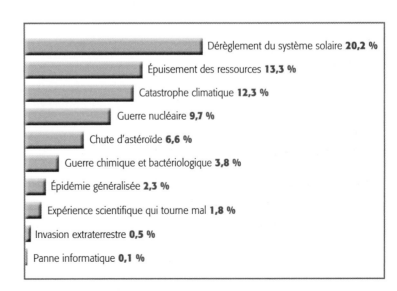

Dérèglement du système solaire **20,2 %**
Épuisement des ressources **13,3 %**
Catastrophe climatique **12,3 %**
Guerre nucléaire **9,7 %**
Chute d'astéroïde **6,6 %**
Guerre chimique et bactériologique **3,8 %**
Épidémie généralisée **2,3 %**
Expérience scientifique qui tourne mal **1,8 %**
Invasion extraterrestre **0,5 %**
Panne informatique **0,1 %**

Est-ce que vous êtes d'accord avec les Français ?
Expliquez votre point de vue en petits groupes.

Jouer n'est pas gagner

JE COMPRENDS ET JE COMMUNIQUE

Est-ce mon jour de chance ?

Tiens, je vais jouer au loto, je n'ai jamais de chance aux jeux, mais j'ai des problèmes avec ma banque. Alors, je tente ma chance, 2 millions d'euros, ce serait bien.

Laisse-moi voir l'horoscope... Tu es cancer comme signe... Voyons, voyons... Ouah, tu es protégé par un astre, aucun risque pour toi côté professionnel, ton travail est apprécié par tes supérieurs. On va t'offrir des perspectives intéressantes...

Merci, je viens de le perdre mon boulot... Alors le 13, ça porte bonheur ou malheur ? Pff... de toute façon, je vais encore perdre... Hum, le 33 comme chez le docteur... Qu'est-ce que tu as encore à m'annoncer ?

Alors, côté cœur, ça t'intéresse ça non ? Et bien, désolée pour toi, mais la lune n'est pas favorable. Les amitiés, ça va mais les amours, non !

Comment non ? Avec Flavie, ça va. C'est exceptionnel ! Malheureux au jeu, heureux en amour comme on dit. Et pour la santé ?

Alors, par contre, côté santé, il n'y a que des accidents : tu te coupes avec un couteau, tu casses ton miroir, tu tombes dans les escaliers... Que des malheurs !

Non, tu plaisantes ?

Mais oui, je plaisante.

Vocabulaire

• Verbes
apprécier
couper
inviter
offrir
perdre (au jeu)
plaisanter
protéger
tomber

• Noms
un accident
l'amitié
un astre
un horoscope
un malheur
un miroir
une perspective
un risque
un signe (astrologique)
un supérieur (= un chef)
le tirage du Loto

• Adjectifs
bizarre
exceptionnel(le)
favorable
malheureux/malheureuse

• Manière de dire
Tu rigoles !

Écouter

• Cochez la phrase que vous entendez.
a. Je n'ai jamais de chance au jeu. □
Je n'ai jamais eu de chance au jeu. □
b. Ton travail n'est pas apprécié par tes supérieurs. □
Ton travail est apprécié par tes supérieurs. □
c. Je vais l'inviter dans un bon restaurant. □
J'ai voulu l'inviter dans un bon restaurant. □
d. Je vais perdre mon boulot. □
Je viens de perdre mon boulot. □

! Comprendre

• Écoutez le dialogue, page 136, et cochez *Vrai* ou *Faux*.

	Vrai	Faux
a. Delphine lit l'horoscope de Gaël.	□	□
b. Delphine invente l'horoscope de Gaël pour rire.	□	□
c. Gaël apprend par son horoscope qu'il vient de perdre son emploi.	□	□
d. Gaël n'a pas besoin d'argent.	□	□
e. Gaël a prévu d'inviter Flavie le soir.	□	□
f. Gaël n'est pas heureux en amour, mais heureux dans les jeux de hasard.	□	□

Communiquer

**Avec votre voisin, commentez cette affiche publicitaire.
À votre avis, à qui cette affiche s'adresse ?**

Je prononce

• Les consonnes [t] et [d].
Écoutez et répétez.
je tente ma chance – un astre te protège – tes supérieurs apprécient ton travail – ça t'intéresse – désolé pour toi – côté santé, que des accidents

• L'opposition des consonnes [l] et [r].
Écoutez et répétez.
Laisse-moi le voir – il vient de le perdre – le bonheur ou le malheur – les résultats du tirage – elle rigole

J'APPRENDS ET JE M'ENTRAÎNE

Grammaire

• **La voie passive**

→ **Précis grammatical, page 128**

Observez :

Voix active : *Tes supérieurs apprécient ton travail.*

Voix passive : *Ton travail est apprécié par tes supérieurs.*

→ Dans la voie passive :

– l'objet à la voix active devient sujet de la voix passive ;

– le sujet de la voix active devient complément introduit par *par* ;

– le verbe est composé (auxiliaire *être* + participe passé du verbe) ;

⚠ Attention à l'accord du participe passé.
*Nostradamus rédigeait les prédictions. Les prédictions étaient rédig**ées** par Nostradamus.*

• **Rappel : La phrase négative :** *ne... ni... ni*
Ce n'est ni bien, ni mal. (*ni* + adjectif)
Je n'ai de la chance ni en amour ni au jeu.
(*ni* + préposition + nom)
Elle ne veut ni jouer, ni lire. (*ni* + verbe à l'infinitif)

---

1 Quel joueur êtes-vous ?

Décrivez votre caractère de joueur en utilisant *ni... ni...*

Exemple : Je ne crois ni au hasard ni à la chance.

2 L'horoscope du jour

Écoutez les horoscopes et notez celui qui convient.

Cancer
Amour : c'est le grand amour
Santé : surveillez votre poids
Travail : tout vous réussit

Horoscope : ....

Poisson
Amour : soyez plus attentive
Santé : reposez-vous
Travail : c'est le moment
de changer

Horoscope : ....

Balance
Amour : patience
Santé : beau fixe
Travail : de bonnes perspectives

Horoscope : ....

Bélier
Amour : patience !
Santé : quelques petits soucis
Travail : mauvaise semaine

Horoscope : ....

3 Revue de presse

Lisez ces titres de rubriques et mettez-les à la voix passive.

a. La météo annonce de la neige demain.
b. 5 millions de spectateurs ont regardé le tirage du loto à la télévision.
c. Le président recevra les journalistes pour ses vœux.
d. EDF a décidé une nouvelle hausse du gaz.
e. Zidane entraînera l'équipe de France.

4 Moi, superstitieux ?

**Décrivez ces photos. Elles illustrent des superstitions en France.
Est-ce que vous en connaissez d'autres ?**

a.

c.

b.

5 Quel est votre signe ?

**Faites deviner votre signe astrologique à votre voisin
en résumant ses principales caractéristiques.**

6 Ah, si j'étais riche...

**On a tous rêvé de gagner à la loterie. Mais que feriez-vous
si cela vous arrivait ? Échangez en petits groupes.**

Les superstitions

Nous sommes tous un peu superstitieux.

Renverser du sel
sur une table

Accrocher un fer à cheval
au-dessus d'une porte

Toucher du bois

Trois Belges sur dix sont superstitieux !

En Belgique, les femmes sont plus superstitieuses que les hommes
(30,9 % contre 23,2 %).

Les jeunes sont aussi plus superstitieux : 32,1 % des moins
de 29 ans se disent superstitieux.

Voici quelques superstitions qui existent en Belgique :

Si un chien inconnu vous demande des caresses, c'est signe de fidélité de votre ami(e).

Si vous voulez allaiter, posez un crapaud sur votre poitrine et vous aurez beaucoup de lait.

Si vous voyez une coccinelle à la Saint-Jean, vous n'aurez jamais mal à la tête.

■ Faites un petit sondage dans la classe pour savoir qui est superstitieux.

Ça porte bonheur ou ça porte malheur ?

Ouvrir un parapluie
dans une maison

Casser du verre blanc

S'embrasser sous du gui

Voir une coccinelle s'envoler

a. Regardez ces photos. À votre avis qu'est-ce qui
porte bonheur et qu'est-ce qui porte malheur ?

b. Est-ce qu'il existe les mêmes superstitions dans
votre pays ? Quelles superstitions connaissez-vous ?

FORUM : avez-vous un porte-bonheur ?

J'ai une main de Fatma, elle éloigne le mauvais
œil, la jalousie et la méchanceté !

Je porte un bracelet avec un bouddha en jade.
Il me protège.

J'ai un trèfle à quatre feuilles dans ma voiture.
Il me porte chance. Je n'ai jamais eu d'accident.

Ce matin, j'ai fait tomber mon miroir de poche.
Il s'est cassé ! Est-ce que cela porte vraiment
malheur ? Même si je n'y crois pas vraiment,
j'ai peur qu'il m'arrive quelque chose. J'ai lu
que le mauvais sort se développe seulement
si le miroir se casse tout seul, est-ce que c'est
vrai ? J'attends vos témoignages.

Message de Juliette

■ Que pensez-vous de la question
de Juliette ? Répondez-lui.

a. Qu'est-ce que vous pensez de la phrase : « Moi je pense
que la chance, il faut aller la chercher. Il suffit de désirer
vraiment quelque chose et de tout faire pour l'obtenir… » ?

b. Avez-vous un porte-bonheur ?

Compréhension orale

1 **Écoutez. Combien de couleurs avez-vous entendu ? 4 ? 7 ? 12 ?**
Pouvez-vous en citer quelques-unes ?

2 **Écoutez et répondez aux questions.**

a. Quel est le signe astrologique de cette jeune femme ?
b. Avec quel signe les relations sont particulièrement bonnes cette semaine ?
c. Qu'est-ce qu'on lui annonce en amour ? Et sur le plan professionnel ?
d. Quels sont pour elle les meilleurs jours de la semaine ?

Grammaire

3 **Cochez la phrase qui a le même sens que la phrase en italique.**

a. *Ils ont fait construire une maison en Provence.*
    1. ☐ Ils ont construit une maison eux-mêmes.
    2. ☐ Quelqu'un a construit une maison pour eux.
    3. ☐ Ils ont acheté une maison en Provence.

b. *S'il faisait beau dimanche, on irait à la plage.*
    1. ☐ Il fera beau dimanche, nous irons à la plage.
    2. ☐ On ne sait pas quel temps il fera dimanche.
    3. ☐ Il ne fait pas beau aujourd'hui.

c. *Cette histoire l'a rendu malade.*
    1. ☐ Il est devenu malade à cause de cette histoire.
    2. ☐ Il a été malade mais il a écouté cette histoire.
    3. ☐ Il déteste étudier l'histoire.

d. *Moi, je l'ai trouvé plutôt sympa.*
    1. ☐ Quand je l'ai rencontré, il était sympa.
    2. ☐ À mon avis, c'est quelqu'un de sympa.
    3. ☐ J'ai trouvé un travail vraiment sympa.

4 **Conjuguez les verbes entre parenthèses. Attention à l'orthographe.**

a. Il faut que tu (*faire*) .... bien attention à toi ! Ne (*traverser*) .... pas la rue sans regarder à droite et à gauche.
Si quelqu'un te (*proposer*) .... de monter dans sa voiture, (*dire*) non !
b. Maintenant, tu (*être*) .... jeune et tu (*penser*) .... que je (*être*) .... un peu trop sévère avec toi,
ma petite fille, mais plus tard, quand tu (*être*) .... plus grande, tu (*comprendre*) .... que ton père (*avoir*)
.... raison de te faire un peu de morale !
c. S'il (*continuer*) .... à pleuvoir comme ça, j'ai bien peur qu'on ne (*pouvoir*) .... pas aller se promener cet après-midi.

5 **Soulignez la forme correcte.**

a. Je pense que demain il (fera / fait / fasse) beau : on l'a annoncé à la télévision.
b. Il a toujours peur que je (ferai / fais / fasse) des fautes d'orthographe le jour de l'examen.
c. J'aimerais beaucoup (venir / que je viens / que je vienne) avec vous en vacances mais je ne peux pas !
d. Tout le monde a trouvé (qu'il ait raison / qu'il avait raison / sa raison) de faire ce qu'il a fait.
e. Il faut toujours commencer (par / chez / pour) le commencement ! Soyons logiques !

Compréhension écrite

6 **Quelle couleur ? Complétez avec : blanc / bleu (deux fois) / noir / rose / rouge / vert (deux fois).**

a. Elle est toujours optimiste : elle voit toujours la vie en .... mais son mari, lui, c'est tout le contraire : il voit tout en ....

b. Quand les enfants ont vu ce film d'horreur, ils ont eu une peur .... Ils ont eu tellement peur qu'ils n'ont pas dormi de la nuit : ils ont passé une nuit ....

c. Pour qui tu vas voter ? Moi, je vote toujours pour les .... L'écologie, ça me plaît !

d. Ne donne à personne le numéro de ta carte .... !

e. Elle se fâche pour un oui pour un non. Quand elle n'est pas d'accord, elle voit .... : elle explose !

f. Il a quatre-vingt-dix ans mais il est encore très .... : il fait du vélo, il jardine, il s'intéresse à tout...

Compréhension et expression écrites

7 **Lisez ce document et répondez aux questions par une phrase complète.**

GAGNER AU LOTO, C'EST TRÈS BIEN… MAIS APRÈS ?

Tous les gros gagnants au Loto le disent : la première réaction, c'est un gros choc, une « violente émotion », un « énorme stress ». Il faut souvent plusieurs mois pour s'en remettre.

Après le choc, viennent les questions : « Est-ce qu'on va le dire aux gens ? », « Qu'est-ce qu'on va en faire, de cet argent ? », « On arrête de travailler ou non ? »...

L'émotion passée, ils sont en général prudents. La Française des Jeux (organisatrice du Loto) est là pour les aider à s'adapter à leur nouvelle condition, gérer leur fortune, reconsidérer leur existence… et aussi les protéger contre tous les parasites qui cherchent à profiter d'eux.

Les choses sont compliquées surtout si on vient d'un milieu modeste. Quand on est un héritier, ou quand on a réalisé sa fortune peu à peu, on est habitué à un certain mode de vie, on sait comment se comporter dans un magasin de luxe ou un restaurant chic.

Souvent, les gagnants du Loto, eux, ne savent pas quoi faire de cet argent qui tombe du ciel. Certains aimeraient entrer chez Cartier, s'habiller chez Dior, dîner chez Maxim's, voyager en première classe… mais ils n'osent pas. Ils ont l'impression que tout le monde va les regarder, deviner qu'ils n'ont pas l'habitude et se moquer d'eux. Beaucoup de gagnants n'ont pas su contrôler ce qui leur arrivait. Les cas de dépression nerveuse ou même de suicide ne sont pas rares.

a. Quel est le premier sentiment quand on gagne le « gros lot » au Loto ?

....

....

b. Pourquoi les gagnants hésitent à annoncer aux gens qu'ils ont gagné ?

....

....

c. Pourquoi, pour certains, gagner au Loto pose beaucoup de problèmes ?

....

....

d. « L'émotion passée, ils sont en général prudents. » Imaginez un ou deux exemples de cette prudence.

....

....

Expression écrite

8 **On dit souvent : « L'argent ne fait pas le bonheur. » Est-ce que vous êtes d'accord ? Justifiez votre réponse en cinq ou six lignes.**

Bilan actionnel

Évaluez-vous

1 Reliez les phrases.

a. Je voudrais que...   •   • les informations soient toutes contrôlées.

b. Ils ont peur que...   •   • la Terre ne soit plus habitable dans quelques années.

c. Il est étonnant que...   •   • vous fassiez plus attention à l'avenir.

d. J'ai peur que...   •   • nous ayons une épidémie.

2 Classez ces verbes ou expressions en fonction de ce qu'ils expriment.

Ça m'énerve / j'ai envie / je regrette / je souhaiterais / il est indispensable / j'ai peur / j'aimerais / je veux / il est urgent / je refuse / il est obligatoire

Un sentiment	Un souhait	Une volonté	Une nécessité

Je suis capable d'exprimer un souhait, une crainte, un désir : ❏ oui, ❏ pas encore.

Action

1 Vous êtes voyant(e) et vous recevez un client. Vous lui posez des questions et vous lui dites son avenir.

2 Écrivez à votre mairie pour exprimer vos souhaits. Faites d'abord la liste des points que vous voulez présenter, puis rédigez votre lettre.

Exemples : Je souhaiterais qu'un espace de jeux pour enfants soit créé dans mon quartier... Ce serait bien que les impôts n'augmentent pas cette année...

LA PHRASE

1. En général, **l'ordre** est : **sujet** (nom ou pronom : *je, vous, il, elle...*) + **verbe** + **.........**
Thomas/habite/à Berlin. – Les enfants/achètent/des croissants. – Elle/est/jolie.

2. La phrase peut être :
- **simple** (il y a un seul verbe conjugué) : *Patricia **habite** à Amsterdam. – Je **suis** heureux.*
- **complexe** (il y a 2 ou plusieurs verbes conjugués) :
*Patricia, que je **connais** depuis dix ans, **habite** à Amsterdam.*
*Quand Patricia **habitait** à Amsterdam, elle **faisait** du vélo, **marchait** et **prenait** beaucoup de photos.*

LA FORME INTERROGATIVE

1. L'interrogation totale → seules réponses possibles : *Oui, Si, Non*

Elle a trois formes :
- par intonation :   *Vous êtes heureux ?*
- avec *Est-ce que...* :   *Est-ce que vous êtes heureux ?*
- avec une inversion sujet/verbe (plus formel) *Êtes-vous heureux ?*

⚠ - Si la question est positive, deux réponses possibles   → *Oui/Non*
- *Tu m'aimes ?*   - *Oui.../Non...*
- Si la question est négative, deux réponses possibles   → *Si/Non*
- *Tu ne m'aimes plus ?*   - *Si.../Non...*

2. L'interrogation partielle → impossible de répondre simplement *Oui* ou *Non*

On utilise un terme interrogatif :
- *quel, quelle, quels, quelles*   *Quelle heure est-il ? – Tu travailles quels jours ?*
- *Qu'est-ce que... / Que* + inversion → on pose une question sur une **action**, une **chose**
Qu'est-ce que tu fais ? – Que faites-vous ? (en français parlé familier : *Tu fais quoi ?*)
- *Qui est-ce qui... / Qui* + inversion → on pose une question sur une **personne**.
Qui est-ce qui est venu ce matin ? – Qui est-ce ? (en français parlé familier : *C'est qui ?*)
- *Où... / D'où... / Comment... / Combien... / Quand... / Pourquoi...,* etc.
Où tu vas ? – D'où tu viens ? – Comment tu t'appelles ? – Pourquoi ne me réponds-tu pas ?
(en français parlé familier : *Tu vas où ? – Tu viens d'où ? – Tu t'appelles comment ?*)

LA FORME NÉGATIVE

1. La négation totale *ne (n') ... pas* → elle porte sur toute la phrase

Tu ne connais pas le Canada ? – Ils ne parlent pas français. – Il n'est pas venu hier soir.

2. La négation partielle

- *ne ... plus*   *Avant, elle fumait ; maintenant, elle **ne** fume **plus**.*
- *ne ... rien*   *– Tu veux <u>quelque chose</u> ? – Non merci, je **ne** veux **rien**.*
- *ne ... personne*   *– Vous connaissez <u>quelqu'un</u> ici ? – Non, je **ne** connais **personne**.*
- *ne ... jamais*   *– Vous allez <u>de temps en temps</u> (<u>souvent</u>) au théâtre ? – Non, nous **n'**y allons **jamais**.*

⚠ *ne ... que* n'exprime pas vraiment une négation, mais une **restriction** :
*Il **ne** parle **que** français.* (= il parle seulement français)
*Il **n'**y a **que** deux personnes.* (il y a seulement deux personnes)

⚠ Si le nom est précédé d'un article indéfini (*un, une, des*) ou partitif (*du, de la, des*), la forme négative est :
pas de (ou **pas d'** + voyelle).
*– Vous voulez <u>du</u> fromage, <u>un</u> fruit, <u>une</u> tarte ? – Merci, **pas de** fromage, **pas de** fruit, **pas de** tarte.*

3. Place de la négation

- Si le verbe est à un **temps simple** : sujet + **ne** + verbe + **pas** (ou *rien, jamais, plus, personne...*) :
  *Il **ne** part **pas** à Rio. – Il **ne** comprend **rien**. – Il **ne** connaît **personne**.*
- Si le verbe est au **futur proche** : sujet + **ne** + *aller* (au présent) + **pas** + infinitif
  *Il **ne** va **pas** prendre le train. – On **ne** va **rien** faire ce soir.*

 *Il **ne** va inviter **personne**. – Vous **n'**allez rencontrer **personne**.*

- Si le verbe est au **passé composé** : sujet + **ne** + auxiliaire **être** ou **avoir** + **pas** + participe passé
  *Elle **n'**a **pas** compris. – Nous **ne** sommes **jamais** venus ensemble.*

 *Il **n'**a rencontré **personne**. – Nous **n'**avons vu **personne**.*

- Si le verbe est à l'**impératif** : **ne** + verbe à l'impératif + **pas**
  ***Ne** pleure **pas** ! – **Ne** dis **rien** ! – **Ne** regarde **personne** !*

LES NOMS

1. Le masculin et le féminin

a. Ils sont **masculins** (*un copain, un vélo*) ou **féminins** (*une copine, une bicyclette*). Le neutre n'existe pas.

b. Devant le nom, il y a un déterminant masculin ou féminin.
  ***un** étudiant, **une** étudiante – **le** restaurant, **l'**université – **ce** garçon, **cette** fille – **mon** copain, **ma** sœur*

 L'article défini **l'** (devant une voyelle ou un *h* muet) peut être masculin (***l'**univers, **l'**homme*) ou féminin (***l'**université, **l'**histoire*).
  Remarque : devant les noms de personne, de ville, etc., pas d'article :
  Il habite chez Marion. – Nous allons à Tokyo.

c. Pour le féminin, on ajoute en général un *-e* : *un ami, une amie – un étudiant, une étudiante*
  Si le nom se termine par **-e**, **masculin** = **féminin** : *un journaliste, une journaliste*

 Souvent, le masculin et le féminin sont totalement différents : *un homme, une femme.*

2. Le singulier et le pluriel

a. Pour le pluriel, on ajoute en général un **-s** : *un copain, des copains – un homme, des hommes*

b. Si le mot se termine par **-eau**, on ajoute un **-x** pour le pluriel : *un chapeau, des chapeaux*

c. Si le nom se termine par **-s**, **-x** ou **-z**, le nom ne change pas au pluriel :
  un Français, des Français – un nez, des nez – une voix, des voix

LES DÉTERMINANTS

Ils sont placés **avant** le nom.

1. Les articles

a. Les articles **indéfinis** (**un**, **une**, **des**)
  On les utilise pour parler de quelque chose ou de quelqu'un de nouveau, de non précisé ; ou pour parler d'une quantité égale à 1.
  Je vais voir un film. – Je connais des musiciens excellents. – J'ai un fils. (= 1)

b. Les articles **définis** (**le**, **la**, **l'**, **les**)
  On les utilise pour parler de quelque chose ou de quelqu'un de déjà connu, déjà identifié ; pour préciser ; pour parler de quelque chose d'unique.
  C'est Jessica, l'amie d'Amélie. – C'est le sac de Marion. – Regarde, c'est la tour Eiffel !
  On les utilise aussi pour parler de quelque chose de général : *C'est beau, l'amour !*
  → Observez : *C'est **un** médecin du quartier. (il y a plusieurs médecins, c'est un des médecins)*
  *C'est **le** médecin du quartier. (il y a un seul médecin dans le quartier, celui-là)*

c. Les articles **contractés**   **à + le(s) = au(x) - de + le(s) = du, des**
  *On va **au** Brésil, **aux** États-Unis.*   mais : *On va **à l'**aéroport, **à l'**Opéra.*
  *C'est le frère **du** cousin **des** amis de Pierre.*   mais : *C'est le frère **de l'**ami de Pierre.*

d. Les articles **partitifs** (**du**, **de la**, **de l'**, **des**)

On les utilise avec des noms de choses qu'on ne peut pas dénombrer, compter. On considère une partie d'une totalité.

Cela concerne :

– des choses concrètes : **du** sucre, **du** vin, **de la** farine, **de l'**eau...

– mais aussi des choses abstraites : **du** temps, **de l'**amour, **de la** chance, **du** courage...

➜ Observez :   J'ai **un poisson** rouge très intelligent.

Je voudrais **du poisson**, s'il vous plaît, 500 grammes.

 Il y a deux « du » : – l'article défini contracté : C'est le fils **du** Président. (du = de + le)

– l'article partitif : Donnez-moi **du** pain et **du** chocolat, s'il vous plaît.

2. Les adjectifs possessifs

Ils indiquent l'appartenance, la relation.

C'est...	Masculin singulier	Féminin singulier	Masculin pluriel	Féminin pluriel
à moi	mon frère	ma sœur	mes amis	mes amies
à toi	ton copain	ta copine	tes amis	tes amies
à lui, à elle	son père	sa mère	ses parents	ses sœurs
à nous	notre lycée	notre université	nos fils	nos filles
à vous	votre billet	votre voiture	vos livres	vos places
à eux, à elles	leur chien	leur maison	leurs enfants	leurs filles

 Si le mot féminin singulier commence par une voyelle ou un *h* muet :

ma ➜ *mon (C'est mon amie), ta* ➜ *ton (Voilà ton amie), sa* ➜ *son (C'est son habitude)*

3. Les adjectifs démonstratifs

Ils servent à monter, à désigner ou à nommer quelque chose dont on a déjà parlé.

- Tu connais Al Pacino ?   – Oui, j'adore **cet** acteur !

Il y a deux masculins singuliers (**ce** garçon, **cet** homme / **cet** avion), un féminin singulier (**cette** fille, **cette** amie)

et un seul pluriel (**ces** amis, **ces** amies - **ces** garçons, **ces** filles).

4. Les adjectifs indéfinis

a. Il exprime une idée de quantité (nulle ou non). Par exemple :

- **chaque** (toujours singulier)   Il va au cinéma chaque jour. (ou : tous les jours)

- **quelques** (idée de petite quantité)   Je l'ai vu quelques minutes. (= pas beaucoup de)

- **plusieurs** (idée de quantité limitée mais plus grande que celle exprimée par *quelques*)

Observez : – Il a plu ?   ➜ – Oui, il a plu pendant **plusieurs** jours.

➜ – Oui, mais **quelques** jours seulement !

- **tout** + article défini   Il a plu **tout** le temps, **toute** la journée.

- **tous** + adjectif possessif   Il a écrit à **tous** ses copains, à **toutes** ses copines

- **tout** + adjectif démonstratif   Tu connais **tout** ce monde ? Tu connais **tous** ces gens ?

 Dans ce cas-là, *tout* et *tous* se prononcent de la même façon : [tu].

Observez :   Il va voir sa copine **tous les deux jours**.

mais   *Il va voir sa copine ~~chaque deux jours~~. (impossible ! *chaque* est toujours suivi d'un singulier)

5. Les adjectifs qualificatifs

Ils servent à qualifier, à caractériser : *un musée* ➜ *un **nouveau** musée très **intéressant***

En général, les adjectifs longs sont **après** le nom, les adjectifs courts et fréquents **avant** le nom.

*un film **intéressant*** / *un **beau** film*

Rappel – Les adjectifs de nationalité, de couleur ou de forme sont **toujours** après le nom.

*un garçon **américain** - une fille **blonde** - une table **carrée***

LES PRONOMS

1. Les pronoms personnels

Rappel : - les pronoms **sujets** :   *je, tu, il, elle, on, nous, vous, ils, elles*
          - les pronoms **« toniques »** :   *moi, toi, lui, elle, nous, vous, eux, elles*

a. Les pronoms **compléments d'objet direct (COD)**
Si le verbe se construit **directement**, sans préposition (*connaître quelque chose ou quelqu'un*), les pronoms sont COD :
me, m' - te, t' - le, la, l', les - nous - vous - les
- *Il **vous** connaît ? - Non, nous, nous **le** connaissons mais lui, il ne **nous** connaît pas.*

b. Les pronoms **compléments d'objet indirect (COI)**
Si le verbe se construit **indirectement**, avec la préposition ***à*** (*parler **à** quelqu'un, téléphoner **à** quelqu'un, écrire **à** quelqu'un*), les pronoms sont presque toujours : ***me, t' - te, t' -*** <u>*lui*</u> ***- nous - vous -*** <u>*leur*</u>
*Ma mère, je **lui** écris souvent. Elle **me** téléphone tous les jours !*
*Il **nous** parle souvent de son pays ...*

Remarques
1. Les pronoms COI ***lui*** et ***leur*** sont masculins ou féminins.
*Mon père, je **lui** écris. Ma mère, je **lui** écris aussi. Et je **leur** téléphone.*
2. Il ne faut pas confondre :
• le pronom COI ***lui*** :   *Hier, j'ai rencontré Jeanne et je **lui** ai parlé.*
et le pronom « tonique » ***lui***, masculin : - *Tu vas chez Pierre ? - Oui, je vais <u>chez</u> **lui**. J'habite <u>avec</u> **lui**...*
• le pronom COI ***leur*** : *Mes parents ? Je **leur** téléphone tous les dimanches.*
et l'adjectif possessif ***leur(s)*** : *Je n'aime ni **leur** chien ni **leurs** quinze chats !*

c. Le cas de « en »
Il est invariable et il remplace un nom de personne ou de chose précédé d'un article indéfini (*un, une, des*),
d'un article partitif (*du, de la, des*) ou d'un terme de quantité (*beaucoup, quelques, plusieurs…*).
– *Vous avez <u>des</u> enfants ? - Oui, j'**en** ai trois.*
– *Tu veux <u>du</u> chocolat ? - Oui, merci, j'**en** veux bien. / Non, merci, je n'**en** veux pas.*
– *Ils ont <u>plusieurs</u> enfants ? - Non, ils n'**en** ont qu'un seul.*

d. Le cas du pronom neutre « le »
Il peut remplacer un mot ou toute une proposition.
*Il est sportif et son fils **le** sera aussi. - Ils ont divorcé ! Tu ne **le** savais pas ?*

e. La place des pronoms COD et COI
   - Verbes à un temps simple et à un temps composé : ils se placent **avant** le verbe :
*Je **le** connais bien. - Je **l'**ai bien connu. - Des copains, j'**en** ai beaucoup !*
   - Avec deux verbes : ils se placent **entre** les deux verbes :
*J'aimerais **le** connaître. - Je ne veux pas **le** connaître. - Je vais **en** acheter.*
    - À l'impératif affirmatif : **après** le verbe : *Prends-**en** ! - Téléphone-**moi** ! - Écris-**leur** !*
    - À l'impératif négatif : **avant** le verbe : *N'**en** achète pas ! - Ne **lui** téléphone pas !*

f. Le cas de « y »
Il peut être complément d'objet indirect (COI).
- *Tu t'intéresses <u>à la géographie</u> ? - Oui, je m'**y** intéresse.*
Mais le plus souvent, y (pronom/adverbe) remplace un nom de lieu.
- *Tu veux aller au cinéma ? - Non, j'**y** suis allé hier soir. (y = au cinéma)*
- *Elle habitait chez toi ? - Oui mais elle n'**y** habite plus. (y = chez moi)*

⚠ Une exception : - *Tu iras à Nice cet hiver ? - Oui, j'y̶ irai. (pas de y avec le futur du verbe aller)*

2. Les pronoms possessifs

le mien, la mienne, les miens, les miennes...
Ils remplacent un nom précédé d'un adjectif possessif : - *C'est votre voiture ? - Non, ce n'est pas **la mienne**.*

3. Les pronoms démonstratifs

celui-ci, celui-là, celle-ci, celle-là, ceux-ci, ceux-là, celles-ci, celles-là

4. Les pronoms indéfinis

quelqu'un, quelque chose, quelques-uns, certains, d'autres, plusieurs, personne, rien, tous...

– *Tu as vu **quelqu'un**? – Non, **personne**!*

– *Tu les connais? – Oui, bien sûr, je les connais **tous**.*

***Certains** sont gentils, **d'autres** non.*

– *Tu as vu des films coréens? – Oui, **plusieurs**!*

5. Les pronoms relatifs

qui – que – où

Ils représentent des noms de personnes ou de choses et ils servent à relier deux propositions.

• ***Qui*** est **sujet**:   *C'est la maison **qui** est rue du Parc. – Je vous présente Anna, **qui** est belge.*

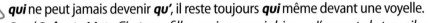 *qui* ne peut jamais devenir *qu'*, il reste toujours *qui* même devant une voyelle.

• ***Que** (**Qu'**)* est **objet**: *C'est une fille **que** je connais bien. – J'apporte le travail **que** j'ai fait.*

• ***Où*** représente un **lieu**: *C'est la ville **où** j'habite. – Tu connais l'université **où** elle étudie?*

LES VERBES

Il y a **trois types de verbes**:

– les verbes **personnels** qui ont un sujet « personnel », un nom ou un pronom:

Karen est arrivée. – Je suis là.

– les verbes **impersonnels**: le sujet (il) est « impersonnel » et le verbe toujours au singulier:

Il pleut. – Il y a des statues superbes.

– les verbes **pronominaux (réfléchis)**: *s'appeler, se lever, s'habiller, se dépêcher, se doucher...*

Ils ont un sujet et un pronom qui représente la même personne.

Je me lève, elle se dépêche, nous nous baignons, vous vous reposez...

1. Le mode indicatif

a. Le présent

Il exprime:

– une action en train de se faire: *Léa travaille.*

– ou une action qui va se faire bientôt: *Demain, je pars au Mexique.*

– ou encore une action habituelle: *Tous les samedis, je fais des courses.*

b. Le futur proche: verbe *aller* au présent + infinitif

Il exprime quelque chose qui va se réaliser bientôt.

Regarde le ciel: il va pleuvoir. (c'est imminent).

c. Le futur simple

Il exprime un fait ou une action dans l'avenir.

• Pour les **verbes en -er** (sauf *aller*), il se forme à partir de l'**infinitif**. On ajoute à l'infinitif:

-ai, -as, -a, -ons, -ez, -ont

regarder ➜ *je regarderai, tu regarderas, il regardera,*
nous regarderons, vous regarderez, ils regarderont

• Pour les autres verbes, il y a beaucoup d'exceptions et il vaut mieux vérifier dans vos tableaux des conjugaisons. Mais on retrouve toujours les terminaisons:

-rai, -ras,- ra, -rons, -rez, -ront ➜ *je serai, tu seras, il sera, nous serons, vous serez, ils seront*

d. Le passé immédiat: *venir de* + infinitif

– *Bonjour, je peux parler à Pierre, s'il vous plaît?*

– *Ah je suis désolé! Il **vient de** sortir mais il revient bientôt.* (il est sorti il y a très peu de temps)

e. Le passé composé

Il exprime un fait, un événement, une action terminés dans le passé.

Il se conjugue :

– soit avec l'auxiliaire *avoir* + participe passé :

J'**ai commencé** *à travailler en 2007.*

– soit avec l'auxiliaire *être* + participe passé pour les verbes *aller, arriver, (re)venir, partir, sortir, (r)entrer, retourner, monter, descendre, passer, tomber, rester, naître, mourir...*

Il **est sorti** *à 5 h et il est rentré chez lui à 7h30.*

et pour **tous** les verbes pronominaux : *se lever, se dépêcher, se reposer...*

Nous **sommes partis** *à la campagne et nous* **nous sommes reposés***.*

 Avec l'auxiliaire *être*, il faut accorder le participe avec le sujet.

*Elle est n***ée** *à Alger, elle est arriv***ée** *en France en 1998.*

f. L'imparfait

Il sert à décrire une situation dans le passé, des circonstances, un décor ou bien pour exprimer une idée d'habitude, de répétition. Il n'a pas vraiment de limites temporelles.

Pour le former, on part de la 1re personne du pluriel du présent : *nous avons, nous finissons, nous faisons...*
et on ajoute au radical les terminaisons : **-ais, -ais, -ais, -ait, -ions, -iez, -aient**

Maintenant, nous **finissons** *le travail à 17 h. Avant, nous* **finissions** *à 19 h.*

Remarque – Une exception : le verbe *être* ➔ présent : *nous sommes* ; imparfait : *j'étais, nous étions.*

g. Les relations passé composé / imparfait

On rencontre ces deux temps presque toujours ensemble. C'est normal : le passé composé donne les faits, les événements, les actions ; l'imparfait apporte les circonstances, les commentaires, les descriptions...

Quand je **me suis levé** *ce matin, il* **faisait** *un temps magnifique. C'***était** *merveilleux !*

      (action)   (description)   (commentaire)

2. Le mode impératif

Il sert à ordonner ou à conseiller. Il n'a que trois personnes :

Va chez lui ! Allons chez lui ! Allez chez lui !

Ne pars pas ! Ne partons pas ! Ne partez pas !

 Avec les verbes pronominaux, le pronom est **après** le verbe quand l'impératif est **affirmatif** :

Dépêche-toi ! – Levez-vous !

mais pas à l'impératif négatif : *Ne te dépêche pas ! – Ne vous levez pas !*

Rappels :

1. Pour les **verbes en -er**, le **-s** de la 2e personne du singulier disparaît à l'impératif :

*Tu écout***es** ➔ *Écout***e** *!*

sauf s'ils sont suivis de **en** : *Des fruits ? Mang***es***-en.*

2. Attention au verbe *aller* : *Va***s***-y !*

3. Le mode conditionnel

On l'utilise pour :

– demander quelque chose poliment : *Je voudrais...*

– proposer quelque chose : *On pourrait aller au théâtre ?*

– donner un conseil : *Tu devrais venir avec nous.*

Le conditionnel est une **forme en -r** comme le futur mais les terminaisons sont celles de l'imparfait.

je voudrais, tu voudrais, il/elle/on voudrait, nous voudrions, vous voudriez, ils/elles voudraient

4. Le mode subjonctif

• C'est le mode de la **subjectivité**. On l'utilise par exemple pour :

– exprimer un ordre, une obligation, un désir : *il faut que..., je veux que..., j'aimerais que...* ;

– pour exprimer certains sentiments comme la crainte (*j'ai peur que...*), le bonheur ou le malheur (*je suis content que..., je suis furieux que...*).

• Pour le **former**, on part de la dernière personne du présent de l'indicatif et on ajoute au radical les terminaisons :

-e, -es, -e, **-ions, iez,** *-ent*

écrire : ils écrivent ➔ *il faut que j'écrive, que tu écrives, qu'il écrive, que nous écrivions, que vous écriviez, qu'ils écrivent*

Vous remarquez qu'à l'oral, on entend la même chose pour les trois personnes du singulier (*je, tu, il/elle/on*) et la dernière du pluriel (*ils/elles*) : [ekriv].

• **Attention** aux exceptions ! **Neuf verbes sont irréguliers.**
- **avoir** → *que j'aie, que tu aies, qu'il/elle/on ait, que nous ayons, que vous ayez, qu'ils/elles aient*
- **être** → *que je sois, que tu sois, qu'il/elle/on soit, que nous soyons, que vous soyez, qu'ils/elles soient*
- **aller** → *que j'aille, que tu ailles, qu'il/elle/on aille, que nous allions, que vous alliez, qu'ils/elles aillent*
- **faire** → *que je fasse, que tu fasses, qu'il/elle/on fasse, que nous fassions, que vous fassiez, qu'ils/elles fassent*
- **pouvoir** → *que je puisse, que tu puisses, qu'il/elle/on puisse, que nous puissions, que vous puissiez, qu'ils/elles puissent.*
- **savoir** → *que je sache, que tu saches, qu'il/elle/on sache,que nous sachions, que vous sachiez, qu'ils/elles sachent*
- **vouloir** → *que je veuille, que tu veuilles, qu'il/elle/on veuille, que nous voulions, que vous vouliez, qu'ils/elles veuillent*
- **valoir** → *que je vaille, que tu vailles, qu'il/elle/on vaille, que nous valions, que vous valiez, qu'ils/elles vaillent*
- **falloir** → *qu'il faille*

Ici aussi, à l'oral, on entend la même chose pour les trois personnes du singulier (*je, tu, il/elle/on*) et la dernière du pluriel (*ils/elles*) : [fas], par exemple, ou [swa].

5. Le gérondif

Il est toujours précédé de *en* et se termine en *-ant*. Il peut exprimer :
– une idée de temps :
*J'ai acheté le journal **en allant** faire les courses.* (quand ? quand je suis allé faire les courses)
– une idée de manière, de moyen :
*J'ai appris ça ce matin **en lisant** le journal.* (comment ? en lisant...)

6. Forme active, forme passive

Observez :
Deux jeunes femmes ont volé une bague de 30 000 euros. (forme active)
→ *Une bague de 30 000 euros a été volée par deux jeunes femmes.* (forme passive)
En passant de la forme active à la forme passive :
– l'objet (la bague) devient sujet du verbe ;
– le sujet (les deux jeunes femmes) devient complément d'agent : *par...* ;
– le verbe est au passif, il se conjugue avec le verbe *être* qui se met au même temps que dans la forme active
(*ont volé* → *a été volée*) ;
– il faut accorder le sujet (*la bague*) et le participe passé (*la bague a été vol**ée***).

7. La concordance des temps : passage du discours direct au discours indirect

• Si le verbe qui introduit le discours indirect est au **présent, pas de changement de temps** :
*Je **pars** en Italie et j'y **reste** un mois.*
→ *Elle dit qu'elle **part** en Italie et qu'elle y **reste** un mois.*
• Si le verbe introducteur du discours indirect est à un temps du **passé, attention aux changements de temps** :
*Je **pars** en Italie et j'y **reste** un mois.*
→ *Elle a dit qu'elle **partait** en Italie et qu'elle y **restait** un mois.*

Communiquons !

Comment faire pour...	
Comparer	*Mathilde est **plus** jeune **que** son frère.* *Elle est **aussi** grande **que** lui.* *Leur petite sœur Linda est **moins** grande **qu'**eux.*
Exprimer la cause	*- **Pourquoi** tu mets ton manteau ?* *- **Parce que** je sors me promener* *- Bon. **Puisque** tu sors, tu pourras faire les courses ?* *→ parce que répond à la question Pourquoi ? ; avec puisque,* *on suppose que tout le monde connaît la situation (ici, le fait de sortir).*
Exprimer une idée de comparaison **Attention aux irréguliers →**	*- comme : Il est **comme** son père.* *- ressembler à : Il **ressemble** à son père.* *- le même, la même... : Ils ont **les mêmes** yeux.* *- plus/moins + adjectif ou adverbe + que : Il est **moins** sympa* * **que** son frère mais il travaille **mieux que** lui.* *- plus/moins de + nom + que : Il y a **plus de** touristes sur la Côte d'Azur* * **qu'**en Bretagne.* *- aussi + adjectif ou adverbe + que : Je suis **aussi** fatigué **que** toi.* *- autant de + nom + que : Il n'a pas **autant d'**amis **que** sa copine.* *~~plus bon~~ → meilleur, ~~plus bien~~ → mieux* *plus mauvais, plus mal → pire*
Exprimer une idée de condition, de supposition, d'hypothèse	*Si vous êtes d'accord, on peut partir tout de suite.* *Si tu veux, viens avec nous !*
Exprimer une idée d'irréel	*Si j'étais la Reine d'Angleterre, je vivrais à Buckingham Palace.*
Exprimer une idée de nécessité, d'obligation	*J'ai un travail à faire. – Je dois faire un travail. – Il faut que je fasse* *un travail.*
Exprimer une idée d'interdiction	*Ne pas fumer – Ne fumez pas. – Interdiction (ou : défense) de fumer.*
Situer quelque chose dans le temps : • **depuis** • **il y a** • **pendant** • **en** • **dans**	*• Il habite à Paris **depuis** 10 ans/**depuis** le 15 septembre/**depuis** son* *mariage.* *(depuis + une durée, une date, un événement → il habite encore à Paris)* *• Il est allé en France **il y a** deux ans/**il y a** longtemps.* *(il y a + une durée → on parle d'un voyage précis, terminé dans le passé)* *• Il a travaillé au Koweït **pendant** trois ans.* *(pendant exprime la durée)* *• Il a fait 6 000 kilomètres **en** une semaine.* *(en → le temps nécessaire pour faire quelque chose)* *• Le train part **dans** deux minutes. Attention, fermez les portières !* *(idée de futur)*

Tableaux de conjugaison

Présent	Futur	Passé composé	Imparfait	Conditionnel	Subjonctif	Impératif

ÊTRE

Présent	Futur	Passé composé	Imparfait	Conditionnel	Subjonctif	Impératif
je suis	je serai	j'ai été	j'étais	je serais	que je sois	
tu es	tu seras	tu as été	tu étais	tu serais	que tu sois	sois
il est	il sera	il a été	il était	il serait	qu'il soit	
ns sommes	ns serons	ns avons été	ns étions	ns serions	que ns soyons	soyons
vs êtes	vs serez	vs avez été	vs étiez	vs seriez	que vs soyez	soyez
ils sont	ils seront	ils ont été	ils étaient	ils seraient	qu'ils soient	

AVOIR

Présent	Futur	Passé composé	Imparfait	Conditionnel	Subjonctif	Impératif
j'ai	j'aurai	j'ai eu	j'avais	j'aurais	que j'aie	
tu as	tu auras	tu as eu	tu avais	tu aurais	que tu aies	aie
il a	il aura	il a eu	il avait	il aurait	qu'il aie	
ns avons	ns aurons	ns avons eu	ns avions	ns aurions	que ns ayons	ayons
vs avez	vs aurez	vs avez eu	vs aviez	vs auriez	que vs ayez	ayez
ils ont	ils auront	ils ont eu	ils avaient	ils auraient	qu'ils aient	

ARRIVER

Présent	Futur	Passé composé	Imparfait	Conditionnel	Subjonctif	Impératif
j'arrive	j'arriverai	je suis arrivé(e)	j'arrivais	j'arriverais	que j'arrive	
tu arrives	tu arriveras	tu es arrivé(e)	tu arrivais	tu arriverais	que tu arrives	arrive
il arrive	il arrivera	il(elle) est arrivé(e)	il arrivait	il arriverait	qu'il arrive	
ns arrivons	ns arriverons	ns sommes arrivé(e)s	ns arrivions	ns arriverions	que ns arrivions	arrivons
vs arrivez	vs arriverez	vs êtes arrivé(e)(s)	vs arriviez	vs arriveriez	que vs arriviez	arrivez
ils arrivent	ils arriveront	ils(elles) sont arrivé(e)s	ils arrivaient	ils arriveraient	qu'ils arrivent	

TRAVAILLER

Présent	Futur	Passé composé	Imparfait	Conditionnel	Subjonctif	Impératif
je travaille	je travaillerai	j'ai travaillé	je travaillais	je travaillerais	que je travaille	
tu travailles	tu travailleras	tu as travaillé	tu travaillais	tu travaillerais	que tu travailles	travaille
il travaille	il travaillera	il a travaillé	il travaillait	il travaillerait	qu'il travaille	
ns travaillons	ns travaillerons	ns avons travaillé	ns travaillions	ns travaillerions	que ns travaillions	travaillons
vs travaillez	vs travaillerez	vs avez travaillé	vs travailliez	vs travailleriez	que vs travailliez	travaillez
ils travaillent	ils travailleront	ils ont travaillé	ils travaillaient	ils travailleraient	qu'ils travaillent	

FINIR

Présent	Futur	Passé composé	Imparfait	Conditionnel	Subjonctif	Impératif
je finis	je finirai	j'ai fini	je finissais	je finirais	que je finisse	
tu finis	tu finiras	tu as fini	tu finissais	tu finirais	que tu finisses	finis
il finit	il finira	il a fini	il finissait	il finirait	qu'il finisse	
ns finissons	ns finirons	ns avons fini	ns finissions	ns finirions	que ns finissions	finissons
vs finissez	vs finirez	vs avez fini	vs finissiez	vs finiriez	que vs finissiez	finissez
ils finissent	ils finiront	ils ont fini	ils finissaient	ils finiraient	qu'ils finissent	

Présent	Futur	Passé composé	Imparfait	Conditionnel	Subjonctif	Impératif
ALLER						
je vais	j'irai	je suis allé(e)	j'allais	j'irais	que j'aille	
tu vas	tu iras	tu es allé(e)	tu allais	tu irais	que tu ailles	va
il va	il ira	il(elle) est allé(e)	il allait	il irait	qu'il aille	
ns allons	ns irons	ns sommes allé(e)s	ns allions	ns irions	que ns allions	allons
vs allez	vs irez	vs êtes allé(e)(s)	vs alliez	vs iriez	que vs allions	allez
ils vont	ils iront	ils(elles) sont allé(e)s	ils allaient	ils iraient	qu'ils aillent	
CONNAÎTRE						
je connais	je connaîtrai	j'ai connu	je connaissais	je connaîtrais	que je connaisse	
tu connais	tu connaîtras	tu as connu	tu connaissais	tu connaîtrais	que tu connaisses	connais
il connaît	il connaîtra	il a connu	il connaissait	il connaîtrait	qu'il connaisse	
ns connaissons	ns connaîtrons	ns avons connu	ns connaissions	ns connaîtrions	que ns connaissions	connaissons
vs connaissez	vs connaîtrez	vs avez connu	vs connaissiez	vs connaîtriez	que vs connaissiez	connaissez
ils connaissent	ils connaîtront	ils ont connu	ils connaissaient	ils connaîtraient	qu'ils connaissent	
DEVOIR						
je dois	je devrai	j'ai dû	je devais	je devrais	que je doive	
tu dois	tu devras	tu as dû	tu devais	tu devrais	que tu doives	dois
il doit	il devra	il a dû	il devait	il devrait	qu'il doive	
ns devons	ns devrons	ns avons dû	ns devions	ns devrions	que ns devions	devons
vs devez	vs devrez	vs avez dû	vs deviez	vs devriez	que vs deviez	devez
ils doivent	ils devront	ils ont dû	ils devaient	ils devraient	qu'ils doivent	
DIRE						
je dis	je dirai	j'ai dit	je disais	je dirais	que je dise	
tu dis	tu diras	tu as dit	tu disais	tu dirais	que tu dises	dis
il dit	il dira	il a dit	il disait	il dirait	qu'il dise	
ns disons	ns dirons	ns avons dit	ns disions	ns dirions	que ns disions	disons
vs dites	vs direz	vs avez dit	vs disiez	vs diriez	que vs disiez	dites
ils disent	ils diront	ils ont dit	ils disaient	ils diraient	qu'ils disent	
DORMIR						
je dors	je dormirai	j'ai dormi	je dormais	je dormirais	que je dorme	
tu dors	tu dormiras	tu as dormi	tu dormais	tu dormirais	que tu dormes	dors
il dort	il dormira	il a dormi	il dormait	il dormirait	qu'il dorme	
ns dormons	ns dormirons	ns avons dormi	ns dormions	ns dormirions	que ns dormions	dormons
vs dormez	vs dormirez	vs avez dormi	vs dormiez	vs dormiriez	que vs dormiez	dormez
ils dorment	ils dormiront	ils ont dormi	ils dormaient	ils dormiraient	qu'ils dorment	
ÉCRIRE						
j'écris	j'écrirai	j'ai écrit	j'écrivais	j'écrirais	que j'écrive	
tu écris	tu écriras	tu as écrit	tu écrivais	tu écrirais	que tu écrives	écris
il écrit	il écrira	il a écrit	il écrivait	il écrirait	qu'il écrive	
ns écrivons	ns écrirons	ns avons écrit	ns écrivions	ns écririons	que ns écrivions	écrivons
vs écrivez	vs écrirez	vs avez écrit	vs écriviez	vs écririez	que vs écriviez	écrivez
ils écrivent	ils écriront	ils ont écrit	ils écrivaient	ils écriraient	qu'ils écrivent	

Présent	Futur	Passé composé	Imparfait	Conditionnel	Subjonctif	Impératif

ENTENDRE

Présent	Futur	Passé composé	Imparfait	Conditionnel	Subjonctif	Impératif
j'entends	j'entendrai	j'ai entendu	j'entendais	j'entendrais	que j'entende	
tu entends	tu entendras	tu as entendu	tu entendais	tu entendrais	que tu entendes	entends
il entend	il entendra	il a entendu	il entendait	il entendrait	qu'il entende	
ns entendons	ns entendrons	ns avons entendu	ns entendions	ns entendrions	que ns entendions	entendons
vs entendez	vs entendrez	vs avez entendu	vs entendiez	vs entendriez	que vs entendiez	entendez
ils entendent	ils entendront	ils ont entendu	ils entendaient	ils entendraient	qu'ils entendent	

FAIRE

Présent	Futur	Passé composé	Imparfait	Conditionnel	Subjonctif	Impératif
je fais	je ferai	j'ai fait	je faisais	je ferais	que je fasse	
tu fais	tu feras	tu as fait	tu faisais	tu ferais	que tu fasses	fais
il fait	il fera	il a fait	il faisait	il ferait	qu'il fasse	
ns faisons	ns ferons	ns avons fait	ns faisions	ns ferions	que ns fassions	faisons
vs faites	vs ferez	vs avez fait	vs faisiez	vs feriez	que vs fassiez	faites
ils font	ils feront	ils ont fait	ils faisaient	ils feraient	qu'ils fassent	

LIRE

Présent	Futur	Passé composé	Imparfait	Conditionnel	Subjonctif	Impératif
je lis	je lirai	j'ai lu	je lisais	je lirais	que je lise	
tu lis	tu liras	tu as lu	tu lisais	tu lirais	que tu lises	lis
il lit	il lira	il a lu	il lisait	il lirait	qu'il lise	
ns lisons	ns lirons	ns avons lu	ns lisions	ns lirions	que ns lisions	lisons
vs lisez	vs lirez	vs avez lu	vs lisiez	vs liriez	que vs lisiez	lisez
ils lisent	ils liront	ils ont lu	ils lisaient	ils liraient	qu'ils lisent	

PARTIR

Présent	Futur	Passé composé	Imparfait	Conditionnel	Subjonctif	Impératif
je pars	je partirai	je suis parti(e)	je partais	je partirais	que je parte	
tu pars	tu partiras	tu es parti(e)	tu partais	tu partirais	que tu partes	pars
il part	il partira	il(elle) est parti(e)	il partait	il partirait	qu'il parte	
ns partons	ns partirons	ns sommes parti(e)s	ns partions	ns partirions	que ns partions	partons
vs partez	vs partirez	vs êtes parti(e)(s)	vs partiez	vs partiriez	que vs partiez	partez
ils partent	ils partiront	ils(elles) sont parti(e)s	ils partaient	ils partiraient	qu'ils partent	

POUVOIR

Présent	Futur	Passé composé	Imparfait	Conditionnel	Subjonctif	Impératif
je peux	je pourrai	j'ai pu	je pouvais	je pourrais	que je puisse	
tu peux	tu pourras	tu as pu	tu pouvais	tu pourrais	que tu puisses	
il peut	il pourra	il a pu	il pouvait	il pourrait	qu'il puisse	n'existe
ns pouvons	ns pourrons	ns avons pu	ns pouvions	ns pourrions	que ns puissions	pas
vs pouvez	vs pourrez	vs avez pu	vs pouviez	vs pourriez	que vs puissiez	
ils peuvent	ils pourront	ils ont pu	ils pouvaient	ils pourraient	qu'ils puissent	

PRENDRE

Présent	Futur	Passé composé	Imparfait	Conditionnel	Subjonctif	Impératif
je prends	je prendrai	j'ai pris	je prenais	je prendrais	que je prenne	
tu prends	tu prendras	tu as pris	tu prenais	tu prendrais	que tu prennes	prends
il prend	il prendra	il a pris	il prenait	il prendrait	qu'il prenne	
ns prenons	ns prendrons	ns avons pris	ns prenions	ns prendrions	que ns prenions	prenons
vs prenez	vs prendrez	vs avez pris	vs preniez	vs prendriez	que vs preniez	prenez
ils prennent	ils prendront	ils ont pris	ils prenaient	ils prendraient	qu'ils prennent	

Précis grammatical

PRÉCIS GRAMMATICAL

Présent	Futur	Passé composé	Imparfait	Conditionnel	Subjonctif	Impératif
SAVOIR						
je sais	je saurai	j'ai su	je savais	je saurais	que je sache	
tu sais	tu sauras	tu as su	tu savais	tu saurais	que tu saches	sache
il sait	il saura	il a su	il savait	il saurait	qu'il sache	
ns savons	ns saurons	ns avons su	ns savions	ns saurions	que ns sachions	sachons
vs savez	vs saurez	vs avez su	vs saviez	vs sauriez	que vs sachiez	sachez
ils savent	ils sauront	ils ont su	ils savaient	ils sauraient	qu'ils sachent	
VENIR						
je viens	je viendrai	je suis venu(e)	je venais	je viendrais	que je vienne	
tu viens	tu viendras	tu es venu(e)	tu venais	tu viendrais	que tu viennes	viens
il vient	il viendra	il(elle) est venu(e)	il venait	il viendrait	qu'il vienne	
ns venons	ns viendrons	ns sommes venu(e)s	ns venions	ns viendrions	que ns venions	venons
vs venez	vs viendrez	vs êtes venu(e)(s)	vs veniez	vs viendriez	que vs veniez	venez
ils viennent	ils viendront	ils(elles) sont venu(e)s	ils venaient	ils viendraient	qu'ils viennent	
VIVRE						
je vis	je vivrai	j'ai vécu	je vivais	je vivrais	que je vive	
tu vis	tu vivras	tu as vécu	tu vivais	tu vivrais	que tu vives	vis
il vit	il vivra	il a vécu	il vivait	il vivrait	qu'il vive	
ns vivons	ns vivrons	ns avons vécu	ns vivions	ns vivrions	que ns vivions	vivons
vs vivez	vs vivrez	vs avez vécu	vs viviez	vs vivriez	que vs viviez	vivez
ils vivent	ils vivront	ils ont vécu	ils vivaient	ils vivraient	qu'ils vivent	
VOIR						
je vois	je verrai	j'ai vu	je voyais	je verrais	que je voie	
tu vois	tu verras	tu as vu	tu voyais	tu verrais	que tu voies	vois
il voit	il verra	il a vu	il voyait	il verrait	qu'il voie	
ns voyons	ns verrons	ns avons vu	ns voyions	ns verrions	que ns voyions	voyons
vs voyez	vs verrez	vs avez vu	vs voyiez	vs verriez	que vs voyiez	voyez
ils voient	ils verront	ils ont vu	ils voyaient	ils verraient	qu'ils voient	
VOULOIR						
je veux	je voudrai	j'ai voulu	je voulais	je voudrais	que je veuille	
tu veux	tu voudras	tu as voulu	tu voulais	tu voudrais	que tu veuilles	veux, veuille
il veut	il voudra	il a voulu	il voulait	il voudrait	qu'il veuille	
ns voulons	ns voudrons	ns avons voulu	ns voulions	ns voudrions	que ns voulions	voulons, veuillons
vs voulez	vs voudrez	vs avez voulu	vs vouliez	vs voudriez	que vs vouliez	voulez, veuillez
ils veulent	ils voudront	ils ont voulu	ils voulaient	ils voudraient	qu'ils veuillent	
SE LEVER						
je me lève	je me lèverai	je me suis levé(e)	je me levais	je me lèverais	que je me lève	
tu te lèves	tu te lèveras	tu t'es levé(e)	tu te levais	tu te lèverais	que tu te lèves	lève-toi
il se lève	il se lèvera	il(elle) s'est levé(e)	il se levait	il se lèverait	qu'il se lève	
ns ns levons	ns ns lèverons	ns ns sommes levé(e)s	ns ns levions	ns ns lèverions	que ns ns levions	levons-ns
vs vs levez	vs vs lèverez	vs vs êtes levé(e)(s)	vs vs leviez	vs vs lèveriez	que vs vs leviez	levez-vs
ils se lèvent	ils se lèveront	ils(elles) se sont levé(e)s	ils se levaient	ils se lèveraient	qu'ils se lèvent	

Précis grammatical

La France touristique

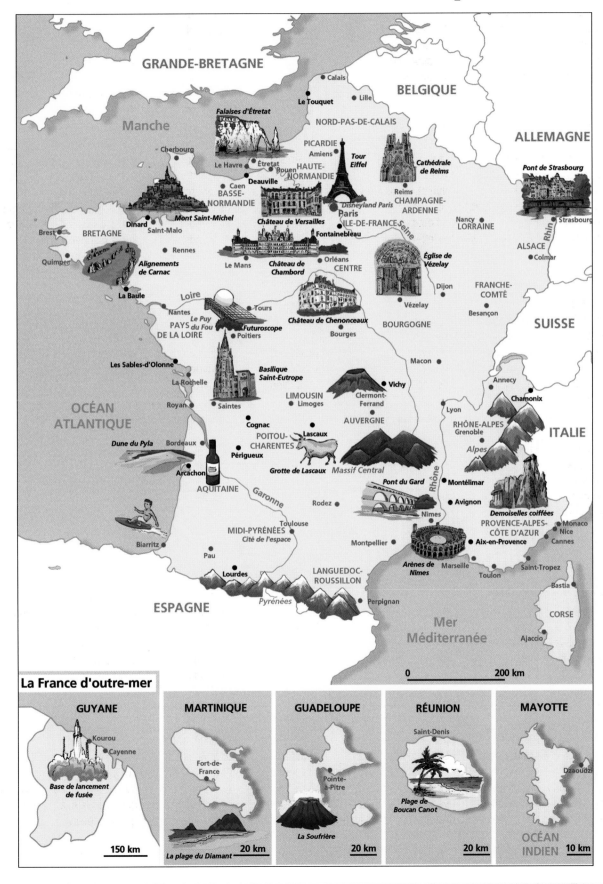

GRANDE-BRETAGNE

BELGIQUE

ALLEMAGNE

Manche

Calais
Le Touquet
Lille

NORD-PAS-DE-CALAIS

Falaises d'Étretat

Cherbourg

PICARDIE

Amiens

Tour Eiffel

Cathédrale de Reims

Pont de Strasbourg

Le Havre
Étretat
Rouen
HAUTE-NORMANDIE
Caen
Deauville
BASSE-NORMANDIE

Reims

CHAMPAGNE-ARDENNE

Nancy
LORRAINE

Strasbourg

Disneyland Paris
Paris
ILE-DE-FRANCE
Seine

ALSACE
Colmar

Mont Saint-Michel
Dinard
Saint-Malo

Château de Versailles
Fontainebleau

Brest
BRETAGNE
Rennes

Église de Vézelay

FRANCHE-COMTÉ

Quimper

Alignements de Carnac

Le Mans
Château de Chambord
Orléans
CENTRE

Dijon

Besançon

SUISSE

La Baule

Loire

Vézelay

Nantes
PAYS DE LA LOIRE
Le Puy du Fou
Futuroscope
Tours

Château de Chenonceaux

BOURGOGNE

Poitiers
Bourges

Macon

Les Sables-d'Olonne

Basilique Saint-Eutrope

Annecy

La Rochelle

LIMOUSIN
Limoges

Vichy

Chamonix

OCÉAN ATLANTIQUE

Royan
Saintes

Clermont-Ferrand

Lyon

RHÔNE-ALPES
Grenoble

ITALIE

Cognac
POITOU-CHARENTES
Lascaux

AUVERGNE

Alpes

Dune du Pyla
Bordeaux
Périgueux

Grotte de Lascaux
Massif Central

Rhône

Demoiselles coiffées

Arcachon

Pont du Gard
Montélimar

AQUITAINE
Garonne

Rodez

Avignon

PROVENCE-ALPES-CÔTE D'AZUR
Monaco
Nice
Cannes

Toulouse
MIDI-PYRÉNÉES
Cité de l'espace

Nîmes

Aix-en-Provence

Biarritz
Pau

Montpellier

Lourdes

LANGUEDOC-ROUSSILLON

Arènes de Nîmes
Marseille
Toulon

Saint-Tropez

Bastia

ESPAGNE

Pyrénées

Perpignan

CORSE

Mer Méditerranée

Ajaccio

0   200 km

La France d'outre-mer

GUYANE

Kourou
Cayenne

Base de lancement de fusée

150 km

MARTINIQUE

Fort-de-France

La plage du Diamant   20 km

GUADELOUPE

Pointe-à-Pitre

La Soufrière   20 km

RÉUNION

Saint-Denis

Plage de Boucan Canot

20 km

MAYOTTE

Dzaoudzi

OCÉAN INDIEN   10 km

La France physique

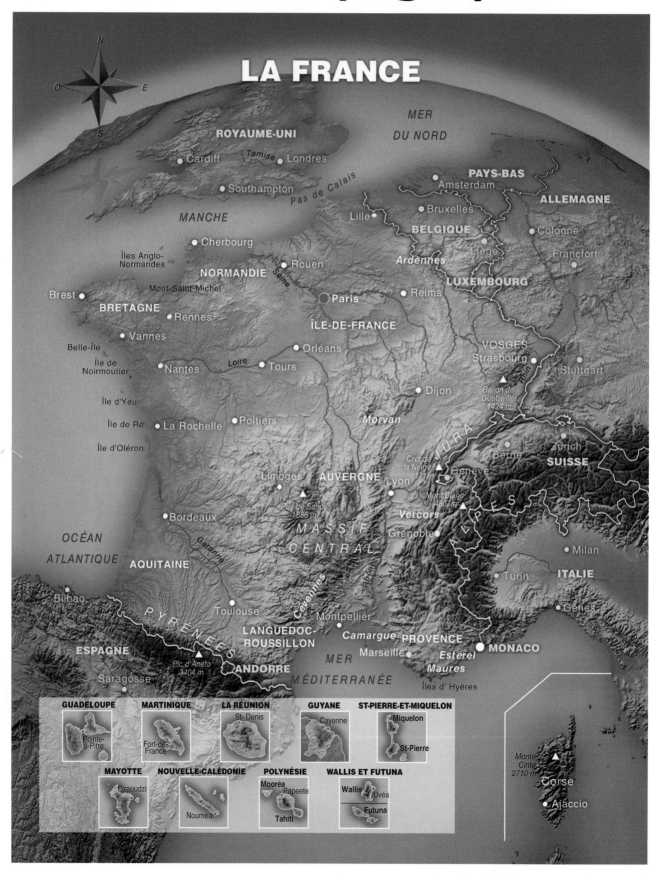

LA FRANCE

ROYAUME-UNI · Cardiff · *Tamise* · Londres · Southampton · MER DU NORD · PAYS-BAS · Amsterdam · ALLEMAGNE · Lille · Bruxelles · Cologne · BELGIQUE · Liège · Francfort · MANCHE · Cherbourg · Rouen · Ardennes · LUXEMBOURG · Îles Anglo-Normandes · NORMANDIE · *Seine* · Reims · Brest · Mont-Saint-Michel · Paris · VOSGES · BRETAGNE · Rennes · ÎLE-DE-FRANCE · Strasbourg · Stuttgart · Vannes · Orléans · *Rhin* · Belle-Île · *Loire* · Tours · Dijon · Ballon de Guebwiller 1424 m · Île de Noirmoutier · Nantes · Morvan · JURA · Île d'Yeu · Crêt de la Neige 1718 · Berne · Zurich · Île de Ré · La Rochelle · Poitiers · SUISSE · Île d'Oléron · Limoges · AUVERGNE · Lyon · Genève · Puy de Sancy 1886 m · Mont Blanc 4807 m · Bordeaux · Vercors · OCÉAN ATLANTIQUE · *Garonne* · MASSIF CENTRAL · Grenoble · A L P E S · Milan · AQUITAINE · *Rhône* · Turin · ITALIE · Bilbao · Cévennes · Montpellier · Camargue · PROVENCE · Gênes · PYRÉNÉES · Toulouse · LANGUEDOC-ROUSSILLON · Marseille · MONACO · ESPAGNE · Pic d'Aneto 3404 m · ANDORRE · MER MÉDITERRANÉE · Estérel Maures · Saragosse · Îles d'Hyères

GUADELOUPE · Pointe-à-Pitre · MARTINIQUE · Fort-de-France · LA RÉUNION · St-Denis · GUYANE · Cayenne · ST-PIERRE-ET-MIQUELON · Miquelon · St-Pierre

MAYOTTE · Dzaoudzi · NOUVELLE-CALÉDONIE · Nouméa · POLYNÉSIE · Mooréa · Papeete · Tahiti · WALLIS ET FUTUNA · Wallis · Uvéa · Futuna

Monte Cinto 2710 m · Corse · Ajaccio

La France administrative

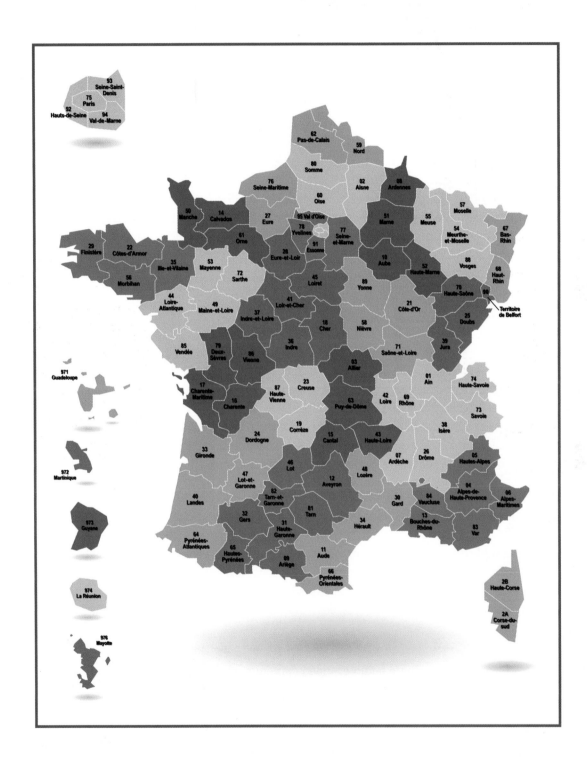

LE DVD-ROM

Le DVD-Rom contient les ressources vidéo et audio de votre méthode (livre de l'élève et cahier d'activités).

Vous pouvez l'utiliser :

• Sur votre ordinateur (PC ou Mac)

Pour visionner la vidéo, écouter l'audio, extraire l'audio et le charger sur votre lecteur mp3 ou convertir les fichiers mp3 en fichier audio Windows Media Player (PC) ou AAC (Mac) et les graver sur un CD-audio à usage strictement personnel.

• Sur votre lecteur DVD compatible DVD-Rom

Pour visionner la vidéo et écouter l'audio.

Mode d'emploi et contenu du DVD-Rom

Pour afficher le contenu du DVD-Rom, il est nécessaire d'explorer le DVD à partir de l'icône du DVD. Après insertion du DVD-Rom dans votre ordinateur, celle-ci s'affiche dans le poste de travail (PC) ou sur le bureau (Mac).

– **Sur PC :** effectuez un clic droit sur l'icône du DVD et sélectionnez « Explorer » dans le menu contextuel.

– **Sur Mac :** cliquez sur l'icône du DVD.

Dans le cas où la lecture des fichiers vidéo ou audio démarre automatiquement sur votre machine, fermez la fenêtre de lecture puis procédez à l'opération décrite ci-dessus.

Le contenu du DVD-Rom est organisé de la manière suivante :

• un dossier AUDIO

Double-cliquez ou cliquez sur le dossier AUDIO. Vous accédez à deux sous-dossiers : Livre de l'élève et Cahier d'activités.

Double-cliquez ou cliquez sur le sous-dossier correspondant aux contenus audio que vous souhaitez consulter.

Afin de vous permettre d'identifier rapidement l'élément audio qui vous intéresse, les fichiers audio ont été nommés en faisant référence à la leçon à laquelle le contenu audio se rapporte (L0 pour la leçon zéro, L1 pour la leçon 1, etc.). Les noms de fichier font également référence au numéro de page et à l'exercice ou l'activité auxquels ils se rapportent. Exemple : LE_L5_p63_activite1 → Ce fichier audio correspond à l'activité 1 de la leçon 5, à la page 63 du livre de l'élève.

• un dossier VIDÉO

Double-cliquez ou cliquez sur le dossier VIDEO. Vous accédez à deux sous-dossiers : Vidéo VO et Vidéo VOST.

Double-cliquez ou cliquez sur le dossier correspondant aux contenus vidéo que vous souhaitez consulter (VO pour la version originale sans les sous-titres, VOST pour la version originale avec les sous-titres en français).

Double-cliquez ou cliquez sur le fichier vidéo correspondant à la séquence que vous souhaitez visionner.

Parmi les séquences proposées, vous retrouverez des épisodes d'une fiction avec deux jeunes femmes Pauline et Sarah.

Les fichiers audio et vidéo contenus sur le DVD-Rom sont des fichiers compressés. En cas de problème de lecture avec le lecteur média habituel de votre ordinateur, installez VLC Media Player, le célèbre lecteur multimédia open source.

Pour rappel, ce logiciel libre peut lire pratiquement tous les formats audio et vidéo sans avoir à télécharger quoi que ce soit d'autre.

→ Recherchez «télécharger VLC» avec votre moteur de recherche habituel puis installez le programme.

N° de projet : 10232404 - Dépôt légal : avril 2013
Achevé d'imprimer en décembre 2016
sur les presses de La Tipografica Varese Srl en Italie